ENSAYOS • ENTREVISTAS • GRÁFICA
NUESTRA AMÉRICA FRENTE AL V CENTENARIO

horas de latinoamérica

MÉXICO, 1989

Nuestra América frente al V Centenario

EMANCIPACIÓN E IDENTIDAD DE AMÉRICA LATINA: 1492-1992

ENSAYOS DE BENEDETTI
BONASSO • CARDOZA Y ARAGÓN
DIETERICH • DRI • DUSSEL
FERNÁNDEZ RETAMAR
GUADARRAMA • GUTIÉRREZ
PETRAS • PONIATOWSKA
ROA BASTOS • SELSER

ENTREVISTAS CON
FIDEL CASTRO • NOAM CHOMSKY
DOMITILA CHUNGARA
OSWALDO GUAYASAMÍN

OBRA GRÁFICA DE
APEBAS • EKO • MANUEL
NARANJO • OKI • PALOMO • REP
RÍUS • SENDRA • ULISES

JOAQUÍN MORTIZ • PLANETA

Primera edición en español, octubre de 1989

Grupo Editorial Planeta
Insurgentes Sur 1162, Col. del Valle
Deleg. Benito Juárez, C.P. 10100, México, D.F.

ISBN 968-27-0343-3

INTRODUCCIÓN

Las obras aquí presentadas tienen un elemento en común: expresan el compromiso humanístico y emancipador de sus autores con los pueblos latinoamericanos. Son, en cierto sentido, un espejo del sentir de Nuestra América crítica frente a la efeméride del V Centenario de la Conquista de América.

La preocupación de los autores no es abstracta: su compromiso es real. No se trata de descubrir la verdad histórica a través de la especulación, sino en el mundo de los hechos: tanto históricos como contemporáneos. Porque la tarea de la emancipación americana no ha terminado. Lo que una larga cadena de personajes y pueblos próceres ha pugnado por construir durante medio milenio, la sociedad hermanada del hombre, sigue siendo un proyecto inconcluso.

Varios de los grandes obstáculos que dificultan la realización de este proyecto prometéico son legado de aquella lejana fecha de 1492. La dicotomía de la naciente sociedad colonial ibero-americana en una pequeña élite privilegiada y una gran masa poblacional marginada del bienestar material y cultural de la sociedad es un rasgo trascendental que ha persistido hasta nuestros días. Parafraseando tal hecho en la terminología del pasado, hay que constatar que "la república de los españoles" y "la república de los indios" siguen vigentes, aunque ya no exclusivamente a través de las determinaciones étnicas.

A la dicotomía interna de las sociedades americanas correspondió, a nivel mundial, la división entre lo que hoy en día se llama Tercer Mundo y Primer Mundo. Es cierto que el mundo se ha convertido en un "pueblo global", pero "un pueblo global" en que el ochenta por ciento de la humanidad vive en *ghettos*, caracterizados por la pobreza, la miseria y la destrucción humana, mientras que el otro veinte por ciento disfruta de las amplias y lujosas mansiones del Primer Mundo. Desde la violenta integración de los pueblos americanos al naciente sistema de dominación y explotación occidental en el año de 1492, no han logrado recuperar ni su soberanía política, ni su soberanía económica. Siguen *abiertas las venas de América Latina*.

Junto con la pérdida de la autonomía política y económica se produjo la pérdida de la autonomía mental y de la dignidad humana del conquistado. Como en los ensayos de Kafka, ocurrió la metamorfosis de una parte de la humanidad, que de seres humanos se convirtieron, de la noche a la mañana, en "indígenas" considerados como, según la acertada reflexión de J. P. Sartre, un término medio entre bestia y hombre.

Las posiciones de los autores frente a estos hechos histórico-contemporáneos: "la América por descubrir" de Benedetti, la "nueva emancipación" de Bonasso y "la utopía concreta de la unidad iberoamericana" de Roa Bastos, para mencionar sólo algunas temáticas abordadas en esta obra, son variadas: reflejan la enorme riqueza y creatividad de la sociedad civil latinoamericana.

Sin embargo, es precisamente la pluralidad de las reflexiones de tan destacados representantes del mundo científico y cultural lo que permite al lector formarse una idea propia sobre el histórico acontecimiento y los múltiples preparativos de festejos, celebraciones, encuentros y encubrimientos de aquel evento de trascendencia mundial.

Si las posiciones filosófico-políticas de los autores varían en la evaluación del pasado y la perspectiva de la futura sociedad hermanada de nuestra América, es una constante su compromiso latino-americanista y popular.

A los organizadores del *Foro y Concurso Internacional Independiente, Emancipación e Identidad de América Latina: 1492-1992* nos llena de gran satisfacción que las personalidades aquí presentes hayan aceptado nuestra invitación de respaldar el Foro y Concurso en calidad de miembros de su Consejo de Honor y, asimismo, que hayan aceptado utilizar este proyecto como plataforma de lucha y compromiso en favor de nuestros pueblos. Nuestro más sincero agradecimiento para todos ellos y por la solidaridad que han demostrado en dos años de trabajo conjunto.

Este libro es el primero de una serie sobre el tema "Emancipación e Identidad de América Latina: 1492-1992". Invitamos a los lectores a integrarse al proyecto mediante su participación en los diferentes géneros del concurso internacional o a través del trabajo en los comités nacionales de apoyo.

En un momento histórico de gran confusión ideológica, cuando los idearios tradicionales no parecen dar respuestas y orientaciones suficientes, pero tampoco los nuevos paradigmas importados se corresponden con los intereses de las masas latinoamericanas, se vuelve imperiosa la necesidad de actuar con una actitud constructiva, no sectarista y fundamentalmente emancipadora. Tenemos la esperanza de que nuestra modesta iniciativa se convierta en una amplia corriente de concientización, digna de la gran tradición humanística y anti-colonial de nuestros próceres y pueblos.

HEINZ DIETERICH STEFFAN

ENSAYOS

LA AMÉRICA POR DESCUBRIR

MARIO BENEDETTI

A sólo cuatro años del tan publicitado 1992, la celebración del V Centenario aparece rodeada de implicancias, presiones e interpretaciones varias, y aunque ya, afortunadamente, no es mencionado el Día de la Raza sino el de la Hispanidad, y tampoco se lo vincula al anacrónico concepto de Madre Patria, igual sigue convocando antiguos fantasmas y paternalismos.

Es indudable que el 12 de octubre es una fecha de relieve histórico, ya que sirvió para comunicar a dos mundos que se ignoraban. Es preciso recordar, sin embargo, que la comunicación tuvo consecuencias trágicas para los pobladores autóctonos de un continente que vino a llamarse América.

En cierto sentido es explicable que España, o al menos sus sectores más conservadores, lo celebren, ya que 1492 significó el comienzo de su Imperio; no parece en cambio tan explicable (como de alguna manera esos sectores lo reclaman) que los hispanoamericanos acompañemos a España en tal celebración.

No debe olvidarse lo que aquella larga primera etapa de colonización representó en cuanto destrucción de las culturas precolombinas, tal como fue testimoniado con ejemplar honestidad por Fray Bartolomé de las Casas y tantos otros viajeros españoles, posteriormente acusados de fabricar una leyenda negra.

A los españoles que hoy parecen tan dispuestos a celebrar con la mayor de las pompas el comienzo de su Imperio, habría que preguntarles: ¿cómo les caería si en 1998 los hispanoamericanos nos dispusiéramos a celebrar el fin de ese mismo Imperio y les reclamáramos que nos acompañasen solidariamente en el festejo?

Por otra parte, no estoy de acuerdo con la palabra "descubrimiento", ya que en realidad América fue descubierta (mucho antes de ser así nombrada) por sus primitivos pobladores, y en todo caso fueron los aborígenes quienes descubrieron a los Conquistadores, y por cierto no debe haber sido un descubrimiento demasiado agradable. El actual Rey de España usa, con más sensatez, la denominación *Encuentro de dos Culturas*, pero habría que agregar, como bien ha señalado el escritor guatemalteco Luis Cardoza y Aragón, que más que un Encuentro aquello fue un encontronazo.

Fue necesario que transcurrieran 45 años tras el llamado Descubrimiento, para que la cultura invasora reconociera que los indios eran personas, poseedoras de alma y de razón, pero mientras tanto hizo lo posible y lo imposible para destruir la formidable cultura precolombina, una cultura que incluía aspectos muchas veces más progresistas y más humanos que la de sus depredadores.

Después de todo, el legado verdaderamente extraordinario que nos dejó la aventura de Colón, es la hermosa y riquísima lengua que hoy, gracias también al aporte de la América Hispánica, es hablada por más de trescientos millones de habitantes de la Tierra.

No obstante, tengo la impresión de que quienes hoy dirigen y organizan la gran parafernalia de 1992 se preocupan mucho de la América que reclaman haber descubierto y muy poco de la América que aún queda por descubrir. Si de algo puede servir la conmemoración del 92, es para establecer una verdadera y saludable relación entre los pueblos de España y los de sus ex colonias.

En verdad fue todo un agüero que el mismísimo Colón, al describir su primer encuentro con los arruacos (indígenas de Guanahaní, la isla por él descubierta el 12 de octubre de 1492), anotara en su diario: "Mas me pareció que era gente muy pobre de todo". Casi cinco siglos después, la mayor parte de los habitantes del continente entonces descubierto sigue en esa indigencia. No obstante, en América la nuestra los colonizadores recogieron oro en abundancia, descubrieron el caucho, el tabaco y el chocolate; de aquí llevaron la papa o patata. Varias metrópolis disfrutaron copiosamente de esos trasiegos.

Cabe señalar que si bien Norteamérica ya ha sido holgadamente descubierta por los europeos en general, y por los españoles en particular, la América de abajo, esa que el arrogante nomenclátor del Norte suele definir como el subcontinente, está en gran parte por descubrir.

Para la cabal interpretación de ese panorama social que tan distante y enigmático resulta a muchos europeos, qué útil sería que algunos de los comentaristas que desde su respetable confort juzgan con intolerancia revoluciones y hambres ajenas saltaran un día sobre la imponente valla de las agencias internacionales de noticias y se internaran en la tremenda realidad del continente mestizo, hasta compenetrarse con sus penurias, sus urgencias, sus posibilidades efectivas, sus rencores ancestrales, sus frustraciones en cadena, sus heridas no cicatrizadas, sus descreimientos, su desesperanza, y, en definitiva, su capacidad de insurrección. Quizá así se enteraran (para su tranquilidad) de que esas masas explotadas, asediadas y famélicas jamás han oído hablar de Marx ni de Lenin, pero sí en cambio conocen de memoria a la United Fruit Company (la *Mamita Yunai* denunciada en 1941 por el novelista costarricense Carlos Luis Fallas).

Por lo general, el juicio sobre la América del subdesarrollo tiene en cuenta las dictaduras militares, la represión desenfrenada, el envilecimiento de la tortura, la institución de los desaparecidos, el genocidio. Pero en la América nuestra hay también una disponibilidad de inteligencia, de tesón, de trabajo, de solidaridad, de imaginación, que todavía está por descubrir, al menos desde Europa.

En Estados Unidos sí la conocen, pero el inconveniente es que no les gusta. Digamos que es un desamor correspondido. Por otra parte, uno tiene la impresión de que en Europa (incluida España) se conforman con la versión norteamericana. De ahí que cuando escuchamos o leemos lo que se dice de bueno, y sobre todo de malo, acerca de nuestros hábitos, nuestras tradiciones, nuestras luchas, tenemos la impresión de que se refieren a otro continente, a otra realidad. Tenemos virtudes, pero generalmente son otras; tenemos defectos, pero también son otros. Somos tercermundistas, pero no lo consideramos una tara congénita, ni mucho menos una vergüenza, sino más bien una consecuencia de cómo nos ha tratado el Primer Mundo.

Hoy día, cuando se quiere descalificar a alguien, se ha puesto de moda en la prensa española el calificativo de tercermundista. Decir de un intelectual o de un sector social o de un organismo público o de un partido político, que es tercermundista, es compendiar en una sola palabra todo un cortejo de descréditos: es decirle que es ineficaz, desordenado, caótico, perezoso, etc. Si el calificativo es adjudicado a un hecho político o a un gobierno, querrá significar que es despótico, arbitrario, represivo, de indiscriminada violencia, inclinado a la tortura.

Tanto y tan a menudo se golpea con el fácil adjetivo abarcador que los latinoamericanos nos hemos visto obligados a reexaminar nuestra identidad. Y lo primero que admitimos es que muchas de las etiquetas que le cuelgan a esa región enorme corresponden efectivamente a la realidad, y no estaría mal que pagáramos a escote nuestros yerros y deslices. Sin embargo, no estoy convencido de que el Tercer Mundo sea inexorablemente el inventor de tales achaques. Habría que decir, por el contrario, que mucho de nuestro tercermundismo es de cuño primermundista.

Soportamos diversas modalidades y refritos del fascismo, es cierto, pero no tenemos el mérito de haber inventado esa doctrina autoritaria y ahí están Mussolini, Hitler y otros nombres fundacionales. La tortura es, sin duda, una presencia infamante en muchos países, pero a esta altura América Latina ha perdido la ocasión de patentarla; los reclamos serían abundantes, desde la veterana Inquisición, sobriamente borrada de la memoria eclesiástica, hasta los campos de exterminio de Auschwitz y Buchenwald, sólo superados por el gran horno crematorio de Hiroshima, democráticamente encendido por Harry S. Truman, nada tercermundista él. La América Latina está plagada de dictadores, pero ninguno de ellos (ni siquiera el inamovible Stroessner) llegó a una antigüedad en el poder comparable a la del general Franco.

Por otra parte, si buena parte de nuestro tercermundismo es de signo primermundista, no es menos cierto que una importante cuota de nuestro subdesarrollo es consecuencia del desarrollo ajeno. El envidiable nivel de vida alcanzado en un pasado cercano por los Estados Unidos y algunos países europeos de mayor desarrollo, se debe probablemente a la planificada expoliación, pasada o presente, de otras regiones que hoy pertenecen al llamado Tercer Mundo. En los países del Norte, la cota de desarrollo, a nivel interno, suele corresponderse con su acción subdesarrollante a nivel exterior. Y aunque no sean partícipes de la culpa ni responsables del saqueo, también las clases trabajadoras de los países desarrollados son beneficiarias indirectas de la depredación que sufren los países pobres. Quienquiera que se plantee con sinceridad la realidad económica del Tercer Mundo debe admitir que los altos salarios de, por ejemplo, Estados Unidos, existen en función de los bajos salarios de América Latina. O sea, que el célebre modelito del *welfare state*, es decir la sociedad del bienestar, existe gracias al malestar de las grandes masas latinoamericanas.

Todavía en 1962, el impagable portugués Arnaldo Cortesão denunciaba la importancia que se daba en las deliberaciones de las Naciones Unidas a los veintinueve votos africanos que "representan 245 millones de habitantes, *bárbaros en su mayoría*". En consecuencia, cuando a un español le colocan la peyorativa etiqueta de tercermundista, conviene que recuerde que, entre otras cosas, le están diciendo bárbaro; pero también que ser bárbaro no es, después de todo, tan abominable, sobre todo si se recuerda que la picana y la silla eléctricas, el napalm y la bomba de neutrones, son muestras distinguidas de la civilización. Precisamente, sobre ese manejo agraviante (particularmente, en el periodismo español) del adjetivo tercermundista, escribí no hace mucho esta décima:

> España si algún cronista
> te acusa de maniquea
> torpe inculta pobre y fea

y al término de esa lista
te llama tercermundista
no digas un no rotundo
el riesgo no es tan profundo
y estás en buena compaña
seas bienvenida España
al ardiente Tercer Mundo

El mundo no comenzó en 1492 ni acabará en 1992. Ojalá que 1993, año del que nadie parece preocuparse, sea propicio para el comienzo de una vinculación fraternal, o sea sin paternalismos; con hechos reales y no simplemente con oratoria; con mutua solidaridad, para la que tenemos buenas razones aquí y allá, y no con las etiquetas menospreciativas de tercermundistas y de *sudacas*.

Por fortuna, hay en España mucha gente que tiene sobre este problema una visión más generosa y más realista, y es precisamente en ella que la compleja realidad de la América Hispánica (o Ibérica o Latina, como gustéis) puede encontrar la mejor comprensión.

Creo sin embargo que España no estará en condiciones de valorar y apreciar la vida, el ánimo y las circunstancias de sus ex colonias mientras sus intereses (económicos, militares, etc.) pro-norteamericanos tengan más peso que su solidaridad efectiva con la América Hispánica. Existe en este rubro un desencuentro básico: es muy difícil, casi imposible, coordinar y llevar a cabo una verdadera cooperación con las sardinas a partir de una amistad entrañable con el tiburón. En tanto esta situación se mantenga (y no hay indicios de que vaya a cambiar a corto o a mediano plazo) la fraternidad tan mentada en los discursos celebratorios sólo será una figura retórica.

Del resto de Europa no esperamos mucho; de España, era lógico esperarlo. Ojalá que algún día zarpe una Pinta II, y cuando algún marinero (o piloto o cosmonauta, da lo mismo) descubra, por fin, una América inédita pero real, dé el aviso con salvas.

AMÉRICA LATINA ENTRE LA "MODERNIZACIÓN" Y LA NUEVA EMANCIPACIÓN

MIGUEL BONASSO

A quinientos años de la conquista y la colonización, América Latina se enfrenta a una circunstancia única e irrepetible, a una bifurcación de caminos que supone opciones polares: la consolidación de la dependencia por un periodo muy largo o el inicio de una segunda emancipación.

El sistema económico y social que nacía cuando Cristóbal Colón llegó a estas tierras, está aquejado por problemas graves e inéditos y busca recomponerse y reconvertirse en el marco de la revolución científico-técnica para asegurar otros cien o más años de dominación.

Fenómenos tecno-económicos absolutamente novedosos como la automatización, la robotización, la desmaterialización de la producción y la sustitución de las viejas materias primas naturales por productos básicos surgidos del laboratorio, habrán de modificar sustancialmente las relaciones de producción y, por ende, la superestructura ideológica, política y cultural.

Es altamente factible que así como la revolución industrial generó cambios políticos de magnitud universal, como el desarrollo de los estados-nación, la revolución post-industrial favorezca el fenómeno contrario: la integración de vastos bloques supranacionales. (La Comunidad Económica Europea, en tránsito hacia los Estados Unidos de Europa, sería un claro indicio precursor de este nuevo tipo de agrupamientos.)

Así lo perciben ya, desde distintas ópticas ideológicas, los principales líderes mundiales y esa percepción explica, por ejemplo, la nueva política de distensión, reorganización, transparencia y democratización que Mijail Gorbachov intenta profundizar y consolidar en la Unión Soviética.

La nueva dirigencia soviética advierte con lucidez autocrítica que su país se está rezagando en la nueva dinámica de la economía-mundo y por eso aviva el fuego de la reforma política y productiva para descongelar la inercia y el esclerosamiento que derivan de prácticas burocráticas muy arraigadas.

Los renovadores saben, obviamente, que el éxito o el fracaso de la URSS no se mide solamente en términos nacionales, sino que ambas alternativas tienen un valor paradigmático para la competencia, a escala planetaria, de dos sistemas sociales antagónicos.

No se les debe escapar, tampoco, que estas coyunturas cruciales, estos momentos-límite del proceso histórico, que se caracterizan por la presencia de fuertes crisis y reacomodamientos del sistema hegemónico, ofrecen dialécticamente una oportunidad a las sociedades subyugadas de quemar etapas y saltar una barrera secular en pos de un desarrollo autonómico. Y que lo contrario también es válido: que cuando estas grandes oportunidades históricas se dejan pasar (por carencias de liderazgo y falta de voluntad política) se consiente y asegura un nuevo ciclo de dominación y sometimiento.

En América Latina, en cambio, las clases en el poder parecen dispuestas, una vez más, a que nuestras sociedades pierdan esta nueva oportunidad histórica.

Sus diagnósticos sobre la crisis de hegemonía de Estados Unidos, la competencia norteamericana con Japón y otros fenómenos subsecuentes como el desarrollo de la cuenca del Pacífico, la multipolaridad que vendría a suceder al mundo bipolar surgido de Yalta, así como las mutaciones sociales que ya está engendrando la era tecnicrónica, son epidérmicos y sólo apuntan a renegociar su rol de socios minoritarios de los grandes centros de dominación.

América Latina se acerca a esta coyuntura crítica en condiciones netamente desfavorables.

Bolívar sigue siendo, en los umbrales del nuevo milenio, un adelantado incomprendido y el "divide et impera" que fracturó a la Patria Grande en pequeñas naciones, pequeños objetivos y conflictos de vecindad, continúa impidiendo el desarrollo de una estrategia unitaria a nivel del subcontinente.

Los contenciosos fronterizos que patrocinaron los imperios siguen siendo la constante de una América balcanizada. Ecuador y Perú, Chile y Argentina, Colombia y Venezuela, han estado respectivamente a punto de entablar guerras absurdas por cuestiones limítrofes. Mientras tanto Bolivia sigue sin salida al mar y Gran Bretaña mantiene una presencia intimidatoria en aguas y territorios que no sólo pertenecen a la Argentina, sino que forman parte del patrimonio continental.

Son fenómenos aparentemente disímiles, diversos, y así aparecen en los medios de comunicación social que desinforman a nuestros pueblos, pero obedecen a una misma lógica histórica: a una cultura de la disgregación y de pequeños nacionalismos que fue cuidadosamente fomentada en nuestras tierras, al comenzar el siglo XIX, por los agentes de las nuevas metrópolis.

Sería injusto, sin embargo, negar excepciones y avances. El viejo panamericanismo tutelado por Estados Unidos, que se expresaba fundamentalmente a través de la OEA, sufrió un duro revés después del conflicto de Malvinas, cuando se hizo evidente que el Tratado Interamericano de Asistencia Recíproca (TIAR), no servía para proteger a las naciones del subcontinente de las eventuales agresiones de potencias extracontinentales, sino que se circunscribía únicamente a la estrategia de la confrontación Este-Oeste y las concepciones más paranoicas de los tiempos de la "guerra fría".

Hoy esas concepciones han ido desapareciendo del discurso de las clases políticas latinoamericanas y sólo encuentran cabida en los cónclaves secretos de los militares del subcontinente, como ocurre con regularidad bianual en las Conferencias de Ejércitos Americanos.

La aparición del Grupo de Contadora primero y su ampliación al Grupo de los Ocho después, son manifestaciones de una nueva diplomacia latinoamericanista que está aún en ciernes y, por lo tanto, sujeta a vaivenes, estancamientos y retrocesos.

Inclusive la vieja OEA, que segregó a Cuba de la comunidad latinoamericana al comenzar los sesentas y patrocinó, poco después, la invasión a la República Dominicana, exhibe en sus debates y votaciones una nueva correlación de fuerzas netamente desfavorable a los proyectos intervencionistas.

Para la administración Reagan fue posible cortar el hilo por lo más delgado invadiendo Granada, pero el presidente estadounidense ha llegado al fin de su mandato sin atreverse a convertir en realidad sus sueños de una invasión abierta a Nicaragua.

Pero estos progresos indudables no deben inducir a un fácil triunfalismo: hay una fuerte presencia militar norteamericana en el "traspatio" centroamericano que se ha extendido a países sudamericanos (como Bolivia) bajo el pabellón legitimador del combate al narcotráfico; la inmensa mayoría de los ejércitos latinoamericanos están subordinados ideológica, estratégica y logísticamente al Pentágono, así como la inmensa mayoría de los gobiernos (tanto civiles como militares) están subordinados a los dictados económicos y financieros del Fondo Monetario Internacional y el Banco Mundial.

La región ha retrocedido notoriamente en los últimos diez años en materia económica y social y también hay retrocesos en la propia vertebración de una diplomacia latinoamericanista, como el que evidenció el Grupo de los Ocho cuando suspendió a Panamá dentro de sus filas tras el reemplazo del presidente Eric Delvalle por Manuel Solís Palma.

Los Ocho se convirtieron en Siete por atenerse a la forma y no al fondo. La forma indicaba que Delvalle había sido relevado de sus funciones por un golpe de estado incruento promovido por las Fuerzas de Defensa comandadas por el general Manuel Antonio Noriega. El fondo lo constituía la descarada intervención de Estados Unidos para separar a Noriega de su jefatura y modificar el esquema político Institucional que Panamá ha establecido dentro de sus prerrogativas de país soberano.

Los pares de Panamá, que debían haber defendido al país istmeño frente a una agresión sin precedentes de Estados

Unidos, que además tiene como finalidad encubierta la no devolución del Canal en el año dos mil, acataron de hecho que sea Washington el que extienda certificados de licitud democrática a las naciones latinoamericanas.

Este inquietante indicador político tiene, desde luego, su correlato en el plano económico. Una deuda onerosa e impagable, contraída por las burguesías nacionales a espaldas de los pueblos y a instancias de los mismos acreedores que necesitaban colocar sus capitales en la periferia, es pagada año con año a expensas del desarrollo y de la imprescindible necesidad de ampliar los mercados internos.

El drenaje de divisas se complementa con la fuga de capitales, el pago de *royalties* y las desigualdades de un intercambio comercial que año tras año reduce los saldos de los países latinoamericanos.

El capital que la región acumula, en medio de ajustes recesivos cada vez más severos, es imantado hacia el norte industrializado. En sólo cinco años, América Latina exportó 150 mil millones de dólares. Una masa de capital directamente proporcional a la plusvalía expropiada a las masas trabajadoras del subcontinente. Una masa de capital que hubiera permitido, con una estrategia unitaria, negociar en términos de fuerza con el sistema financiero internacional.

Hay otros datos igual de graves, que terminan de iluminar toda la escena: el comercio intrarregional de los países de América Latina apenas supera el diez por ciento del total de su intercambio. O sea que el 90 por ciento de nuestras transacciones comerciales se realiza con países ajenos a la región.

Esta es la cruda realidad que se contrapone a las afirmaciones retóricas de las clases políticas latinoamericanas en favor de la unidad y la integración.

Ese crudo porcentaje mide mejor que mil palabras el fracaso del SELA, de la ALADI, del Pacto Andino, de las diversas instancias multilaterales generadas en las últimas dos décadas.

Los Ocho, si sobreviven unidos, si no son desmembrados por nuevos cuartelazos y presiones externas, tendrían allí una tarea histórica por delante: la conformación de un embrión de Comunidad Latinoamericana de Naciones que recupere y amplíe los incipientes esfuerzos integracionistas iniciados por Brasil, Argentina y Uruguay. Pero eso requiere voluntad política, pragmatismo y una necesaria especialización de las respectivas producciones nacionales que ponga fin al deprimente panorama actual, regido por la competencia y la superposición entre exportadores de las mismas materias primas que luchan a codazos entre sí para disputarse las migajas que ofrece el mercado mundial.

Este sería el verdadero "realismo" y no el que predican a las desalentadas juventudes latinoamericanas los teóricos de la sumisión.

Porque estos datos económicos mantienen inevitable correspondencia con lo que ocurre, de modo predominante, en el plano de la cultura, la información y la comunicación social.

El esquema de la negociación bilateral de la deuda con los centros internacionales del poder financiero, se repite en el campo de las actividades culturales e informativas.

Cada país latinoamericano se vincula mucho más con Estados Unidos que con sus propios vecinos. Y en este terreno las cosas aún resultan peores que en el comercio. Porque nuestras sociedades adoptan un rol pasivo, de receptor. En el campo de la cultura y las comunicaciones, los países latinoamericanos se limitan a importar. Y ni siquiera a importar cultura, para enriquecerse con manifestaciones positivas de otras sociedades, sino a saturarse de mensajes fascistoides y expresiones bastardas de una lumpencultura de la violencia, el racismo, el sexismo y una visión policial del mundo.

Faulkner, Dos Passos, Thomas Wolfe, son curiosidades para bibliófilos, mientras las librerías se ven inundadas por Harold Robbins y otros fabricantes de *best-sellers* en serie.

Por una película crítica del cine independiente norteamericano que llega a nuestras salas, debemos digerir cientos de "rambos" y "comandos".

La imbecilidad programada, el modo de vida sofisticado

y banal, las sosas peripecias del *american way of life*, el estereotipo sexual dolicocéfalo y rubio, la obsolescencia planificada y el derroche son los arquetipos constantes de la televisión que llega por satélite y de la televisión sateliza- da que se produce en nuestros propios países, para consu- mo de capas altas y medias que siguen al milímetro los dictados de la metrópoli y para la confusión y el descon- cierto de los que ven televisión pero no tienen accceso a los satisfactores básicos.

Diariamente se nos ofrece un "deber ser" que niega tá- citamente nuestra identidad y oculta nuestras necesidades más perentorias.

Terroristas o bohemios, vagos o peones sumisos, los latinoamericanos sólo accedemos al *ranking* de los que tienen más dinero por el atajo tenebroso de la corrupción política o el narcotráfico.

El espejo deformado de la colonización cultural siempre nos devuelve una imagen caricatural y deformada. Somos el lado en sombras de lo humano, la líbido inquietante que perturba la pretendida pureza del frígido esquema pro- testante.

Es preciso volver a Frantz Fanon para recordar que la humanidad del colonizado es inevitablemente negada por el colonizador para que el proceso colonial pueda man- tenerse.

La identidad, entonces, aparece como supuesto básico de todo proyecto emancipador. Porque recuperar nuestra iden- tidad no significa otra cosa que recuperar en plenitud nuestra humanidad devaluada, relegada por un modelo pretendi- damente universal que mastica las contradicciones hasta entregarnos una papilla altamente tóxica que trivializa la tragedia y sublima todo cuestionamiento convirtiéndolo en mero entretenimiento.

La cultura latinoamericana necesita, por tanto, su propio mercado común; su integración que la haga viable y le permi- ta competir con los productos foráneos y alienantes.

Frente a los gigantescos aparatos de la comunicación social y la subcultura de masas que han erigido las potencias dominantes debemos ir levantando nuestras propias estructuras nacionales y, sobre todo, regionales.

América Latina carece de un semanario común, de un diario regional como es el *Herald Tribune* en Europa, y sus cadenas de televisión son, de hecho o de derecho, propiedad de estados sin vocación para romper la hegemonía de los monopolios o de grupos empresariales privados ligados a grandes consorcios estadounidenses.

La universalización técnica de las comunicaciones, que debería ser una bendición en cuanto derriba barreras entre los pueblos, amenaza acentuar nuestra servidumbre.

La masificación del periodismo y la aparición de nuevos tipos de medios acentúa, paradójicamente, nuestra desinformación. Los intentos de la UNESCO y del SELA, iniciados en los setentas para tratar de conformar una gran agencia latinoamericana de noticias causaron un revuelo y un rechazo en la Sociedad Interamericana de Prensa (SIP) y en los comerciantes privados de la comunicación que no se justifican a la luz de los magros resultados obtenidos. Los estados latinoamericanos, a quienes la SIP acusaba de querer establecer un monopolio, han carecido de voluntad política para generar un proyecto noticioso capaz de intentar siquiera un proyecto noticioso alternativo.

Toca pues a nuestras sociedades un esfuerzo ciclópeo para tratar de revertir la presente situación. Y toca a nuestros creadores e intelectuales una labor de difusión y esclarecimiento que se torna mucho más difícil en esta era tecnitrónica que en las etapas anteriores, porque el sistema hegemónico cuenta con recursos tecnológicos que expanden y aseguran su dominación en una proporción sin precedentes en la historia.

Es una tarea doblemente pesada porque no solamente supone enfrentar la consabida invasión de los *mass media* con recursos casi artesanales, sino que también implica defenderse de las propuestas "modernizadoras" de una quinta columna instalada en nuestra propia retaguardia.

Esta quinta columna está integrada por una intelectualidad que en los sesentas fue progresista o francamente revolucionaria y en las dos décadas subsiguientes fue desertando del campo popular para sumarse a la retórica pseudodemocrática de las clases dominantes, aportando al esquema neoliberal la novedad de un bagaje teórico que comprende a Gramsci y otros pensadores sociales. Todos ellos malversados y puestos al servicio de un discurso contrarrevolucionario. Un discurso neopositivista que antepone la tecnología a la política, el posibilismo a la voluntad de cambio y la democracia formal a la democracia real. Esos predicadores del arrepentimiento que nos aconsejan subir al furgón de cola de la revolución postindustrial, constituyen hoy un peligro mayor por más sutil que aquél de los viejos estalinistas y troskistas convertidos al macartismo pagado, como el peruano Eudocio Ravines y muchos intelectuales del neoconservadurismo norteamericano.

Como bien lo ha señalado James Petras en un reciente ensayo publicado por la revista *Brecha* de Montevideo, esta metamorfosis de una buena parte de la intelectualidad latinoamericana, es un fenómeno directamente vinculado a la ferocidad desplegada por las dictaduras militares de los años setentas en su proyecto de exterminar la insurgencia.

Estas dictaduras —recuerda Petras— "asesinaron", encarcelaron o desterraron a muchos de los intelectuales señeros, particularmente a aquellos vinculados con activistas sociales y añade: "Los encarcelados que tuvieron la suerte de ser puestos en libertad, los exiliados y los expulsados de las universidades, perdieron su principal fuente de ingresos. Los diarios fueron cerrados o sufrieron una rígida censura. La clase intelectual, política y económicamente vulnerable, estuvo crecientemente dispuesta a aceptar el financiamiento externo como una forma de supervivencia".

Esta disponibilidad, nacida de la vulnerabilidad, vino a conjugarse con una creciente liberalización de los criterios ideológicos de numerosas fundaciones y agencias gubernamentales de Estados Unidos y Europa que, debido a las presiones de la opinión pública internacional (incluyendo a los activistas por los derechos humanos, la iglesia, los partidos políticos, etc.) aumentaron aportes y subsidios a individuos y centros de estudio.

"Los programas de ayuda así liberalizados —continúa Petras— y las purgas que los regímenes aplicaron a instituciones políticas y movimientos, fueron bases para la creación de un nuevo mundo intelectual, el de los centros de investigación financiados desde el exterior".

Una historia apócrifa le sirve a Petras para graficar con humor esta nueva forma de dependencia:

"El director de un centro de investigación invita a su madre provinciana a visitarlo en Santiago de Chile. Llega a recogerla al aeropuerto con su nuevo Peugeot.

—¿De dónde sacaste este hermoso auto? —exclama ella mientras mira los sofisticados instrumentos del tablero.

—Lo financió el Instituto. Lo necesitaba en mi investigación para derrocar a la dictadura —contesta a su madre.

Cuando llegan al hogar del hijo en una zona residencial, la madre queda con la boca abierta.

—¿De dónde sacaste esta hermosa casa?

—El Instituto la financió. La necesitaba en mi investigación para derrocar a la dictadura.

Entran al comedor, donde los espera el almuerzo: una mesa cubierta de mariscos, pollo, ensaladas, fruta y buen vino. Mientras come con entusiasmo, ella pregunta:

—¿De dónde sacaste semejante almuerzo?

—El Instituto lo financia. Lo necesito en mi investigación para derrocar a la dictadura.

A esa altura la madre se rasca la nariz y susurra:

—Cuida de que no derroquen a la dictadura y pierdas todo esto."

Sin embargo no lo pierden al desaparecer las dictaduras de la escena para ser sustituidas por gobiernos liberales o conservadores que retacean una real democratización al contener, ahora en nombre de la democracia, las acucientes demandas sociales. Siguen con sus centros de investigación, modifican su discurso radical del pasado y llegan incluso a convertirse en asesores de los nuevos gobiernos civiles, blandos frente a los militares que vinieron a reemplazar y dóciles frente a las exigencias de los acreedores externos.

Del ideal gramsciano del "intelectual orgánico" han descendido al "intelectual institucionalizado" que correctamente identifica Petras. Un intelectual "prisionero de sus propios y estrechos deseos profesionales", "que cambia de idea como de ropa interior", "que adopta la pose de objetividad que suministra la distancia, a partir de la cual se pueden observar las luchas como objetos a ser deformados, manejados y gobernados".

Intelectuales uniformizados que "no pueden enfrentar la crisis de sus regímenes electorales liberales y el fracaso de sus políticas de contrato social, porque hacerlo exigiría que se apartaran del marco ideológico asegurado por la financiación externa".

Esta intelectualidad "institucionalizada" ha venido a ubicarse como "ala izquierda" de un proyecto pretendidamente "modernizador" que al basarse en el neoliberalismo económico y tratar de apuntalar el modelo neocolonial, es el más viejo de todos los proyectos.

Es pues necesario el desarrollo de una nueva conciencia crítica latinoamericana, de una nueva "intelectualidad orgánica", que sabiendo asumir los errores del pasado y las limitaciones del presente, oriente a los pueblos del subcontinente hacia ese "salto cualitativo" que la actual circunstancia histórica, con sus agudas contradicciones, puede hacer posible.

LA CONQUISTA DE AMÉRICA

LUIS CARDOZA Y ARAGÓN

No es poco lo que se ha escrito y polemizado con vehemencia acerca del término correcto, justo, en relación con lo que aconteció hace medio milenio entre América y España.

En México dos concepciones han sobresalido para definir la verdad, la realidad. La del doctor Edmundo O'Gorman y la del doctor Miguel León Portilla. Como se ha señalado muchas veces, el nuevo mundo sólo para los conquistadores fue Nuevo Mundo.

Ambos estudiosos excluyen el término "descubrimiento de América" y aducen razones. A la vez confrontan sus respectivos criterios que muestran entre sí divergencias radicales.

Debemos inquirir a la luz de nuestro presente el colonialismo, la violencia suma de los invasores; debemos reflexionar sobre el ejercicio totalitario al imponer religión de la manera más brutal, aparejada al expolio similar, a fin de conseguir óptimo aplastamiento.

La sujeción se lleva a término capilarmente en dos planos: el espiritual y el material. Desvanecer hasta la noche la conciencia histórica, destruir aun su imaginario, apagar sus mitologías, arrasar las culturas, para obtener el más efectivo dominio y la más efectiva explotación de las riquezas naturales bajo implacable régimen de esclavitud. Los fines y los medios, etcétera. Quisieron que los indios no tuviesen ni sombra a la luz del sol.

A grandes rasgos así vislumbro tales aconteceres que hemos de estudiar sin preterir el pensamiento de la época. El pensamiento español en el siglo XVI es capital tenerlo en cuenta, aunque no lo estime tan ajeno a lo que ocurre en nuestros días. Recuerdo a Las Casas y que al otro lado de los Pirineos Montaigne meditó avanzadamente. El pensamiento ibérico no ha sido el de Europa. ¿Por qué olvidaríamos el colonialismo de Europa hasta hace muy pocos años?

Una denuncia del colonialismo, acaso la primera rotunda en Europa, fue la del abate G. T. Raynal, colaborador de Diderot (autor de *Historie philosophique et politique des etablissements et du commerce dans les deux Indes*) desenmascarándolo de la pretensión de "civilizador". En el retrato que Girodet-Trioson pintó del diputado por Santo Domingo ante la Convención, el negro J. J. Belley aclamado al ser recibido en 1794, el pintor lo coloca reclinado en el busto del abate Raynal.

La Convención abolió la esclavitud en las colonias, "la aristocracia cutánea", la nobiliaria y la sacerdotal, y dio ciudadanía plena francesa a todos los habitantes de las colonias. No pocas de las resoluciones de la convención fueron pronto suprimidas, entre ellas la relativa a la esclavitud, como lo hizo Napoleón durante el Consulado. Una nueva república, en 1848, eliminó la esclavitud en las colonias francesas. Cuando Louis Aragon publica su ensayo sobre Girodet-Trioson en 1949, a no todos los habitantes de las colonias se les había acordado por derecho la plena ciudadanía francesa, como ya la había acordado la Convención, más de siglo y medio antes.

Mis apuntes apenas si aspiran a insinuar algunos indicios de la complejidad del tema del concurso internacional sobre el quinto centenario de la conquista de América, *Emancipación e Identidad de América Latina: 1492-1992*.

Estoy cierto de que la conquista prosigue en formas nuevas no menos inhumanas. Aquí acuden, puntuales, las luchas de Centroamérica, que son luchas por dejar de ser *banana republics* de la metrópoli que exige y sostiene, hace muchas décadas, caricaturas de stalinitos, dinásticos a veces, Batistas, Trujillos, Somozas, Duvallieres, Pinochetes. . . (Este batallar no puede parecer libertario sino a dogmáticos que no entienden la lúcida y defensiva política exterior mexicana. Esta política exterior es la más bella tradición del México moderno).

Las luchas de Centroamérica se sustentan sobre tres causas

principales tan claras como incontrovertibles:

1. Son luchas anticoloniales.
2. Son luchas contra la inmensa miseria masiva ocasionada por el colonialismo.
3. Son luchas por los más elementales derechos humanos, secuela del colonialismo.

La temática del concurso la juzgo muy acertada en su forma de convocarnos que deja atrás, que no toma en cuenta lo de "descubrimiento de América", lo de "encuentro" y otros nombres probables. Tiene presente el hecho histórico indiscutible: la destrucción de las Indias.

El tema encierra también amplísimas incitaciones. Cuántas historias y psicologías opuestas alientan en cada uno de nuestros países. Por otra parte, no descuidemos la pluralidad que ya existía antes de la conquista. Hoy las naciones latinoamericanas son diferentes, tienen particularidades específicas y de ellas surgirán opiniones de notable diversidad en este inmenso asunto. ¿Qué es el latinoamericano? Somos tan disímiles dentro de nuestra unidad, como España con vascos, catalanes, gallegos, andaluces y demás.

Un debate se abre con nuevas situaciones y previsiones acerca de cómo será la evolución de la realidad en Hispanoamérica, en donde hay fundamentos poderosos que nos relacionan y nos unen, y no pocos que establecen diversidad entre nuestras repúblicas infestadas de nacionalismos. El desenvolvimiento de las sociedades, la prepotencia de los Estados Unidos, el neocolonialismo interno y externo, el mestizaje racial y cultural, la aparición de una comunidad bolivariana, y no panamericana; un socialismo incipiente, el militarismo, las trasnacionales, la iglesia de la liberación, el estacionamiento del liberalismo, las oligarquías, los movimientos de masas se presentan en cada uno de nuestros pueblos con distintas intensidades y raíces. Es ya inaceptable el eurocentrismo. Nosotros seguimos "inventando" América. Nuestra vida estará cada vez más integrada a la comunidad universal ya sin bipolaridad, en cuyo seno, como siempre, polemizarán, dentro de la paz, los problemas que engendra el genio creador y destructor del hombre.

El mayor enemigo del concurso es la simplificación y el maniqueísmo, que es su extremo. El matiz es lo contrario a la incertidumbre. Hay que estudiar los temas con nuevos análisis y sin prevención, rechazando viejas rutinas, viejas fobias y prejuicios. Pensar hondo y aseadamente en esta larguísima batalla de mitos.

A partir de los acontecimientos iniciados hace medio milenio nos encontramos con Cuauhtémoc, con los antimperialistas incas, quichés, araucanos. . . No poco de ese pasado lo vivimos en presente. ¡Lo vivimos en presente! Son temas que nos obligan a ver mejor y a vernos mejor a través de la lección de siglos. La conciencia histórica que no es nada más autoconocimiento, fervor colectivo y evocación fundadora. La universalidad del concurso se instituye en las múltiples connotaciones que de inmediato entrevemos.

El pensamiento peninsular y el americano, ¿se pondrán alguna vez de acuerdo?, ¿hace falta el acuerdo? No veo urgencia alguna en que haya acuerdos ni conclusiones con jactancias de ser definitivas. Existen discordias que es menester desechar para asumir ideas exentas de viejas pasiones estériles. ¿Y por qué no de nuevas y fecundas pasiones en ambas riberas del océano? Razón y pasión.

El hombre en la ciencia y en la técnica ha progresado considerablemente. En el ámbito del espíritu, en el ámbito de la ética (Hiroshima, hornos nazis, gulags, Viet-Nam, Nicaragua. . .) no se vive adelante del paleolítico.

Nicaragua tiene más de 50 mil muchachos muertos por la patria. Es como si los Estados Unidos tuviesen unos 4 millones muertos: son por lo menos 80 veces mayores en habitantes (hay otras inmensas desproporciones). Por un poco más de la centésima parte de esos 4 millones de muertos proporcionales, los Estados Unidos se vieron obligados a parar su terrorismo colonialista en Viet-Nam.

Cinco siglos y al borde del nuevo milenio, ¿qué piensan

hoy?, ¿qué piensan los mestizos? Releo el *Popol Vuh* y *El Quijote*. Me doy cuenta de que hablo como un hombre de un pueblo en el cual el 60 por ciento es indígena en lucha por la supervivencia.

Soy un mestizo, tengo mi lugar. Un lugar entre Apolo y Coatlicue. Soy real, me fundo en dos mitos.

A mi pueblo he dado mi voz, mi conciencia histórica y un fusil. Yo vivo y contemplo la conquista con la unidad que se deriva en parte de mi origen.

La iglesia en el siglo XVI no tuvo carácter humanitario, sino conquistador, rapaz, mortal. Nos bautizaban y con ese mágico pasaporte nos mandan con hogueras y tizonas al Paraíso.

Es erróneo idealizar la conquista. Es erróneo idealizar las culturas precolombinas. Es errónea toda idealización. Si Marx y Engels explican la conquista como un hecho positivo, su explicación misma confiere razón y necesidad a las luchas antimperialistas contemporáneas en cualquier parte del mundo. Es errónea y frecuente la idealización de Marx. El neocolonialismo en Hispanoamérica estatuye sociedades caducas, deformes y atrasadas, a fin de someterlas —con regímenes de títeres sangrientos y ejércitos de ocupación en su propia patria— a imperio anacrónico que nos trae miseria y muerte.

En Guatemala perdura Pedro de Alvarado. Los culpables del genocidio están en libertad disfrutando de sus pillajes millonarios. Como en el siglo XVI, en Guatemala matar a un indio no es matar a un hombre.

EMANCIPACIÓN E IDENTIDAD DE AMÉRICA LATINA: 1492-1992

HEINZ DIETERICH

DESCUBRIMIENTO Y COLONIZACIÓN DEL NUEVO MUNDO

El descubrimiento de América, realizado hace más de veinte mil años por diversos pueblos asiáticos, tuvo como consecuencia lógica la colonización del continente. Al migrar los pobladores desde el mar de Bering hasta la Tierra de Fuego, desarrollaron muy diversas formas y niveles de organización social, política y cultural en el Nuevo Mundo, según sus propias necesidades, capacidades y las condiciones del hábitat donde decidieron establecerse.

De ahí que, al tener lugar la invasión europea, los conquistadores se encontraron ante un rico mosaico de culturas, el cual —junto con su propio nivel civilizatorio y las riquezas naturales— determinó la configuración concreta de la futura sociedad civil y política colonial. Para entender sus sistemas de dominación, integración y explotación materiales y mentales es imprescindible, por ende, tener una noción concisa de estos tres factores de determinación.

Grosso modo pueden diferenciarse los siguientes niveles de evolución social del hombre americano en el año de 1492: I. Sociedades de clase con Estado, por ejemplo, los incas y los aztecas. II. Sociedades de clase con estructuras protoestatales, tales como los mayas. III. Sociedades pre-clasistas con sistemas democráticos de decisión y sanción, *v.gr.* los iroqueses. IV. Sociedades pre-clasistas, en las cuales el control social y la integración de los miembros de la comunidad al colectivo, se logra primordialmente por medio de las costumbres, creencias y tradiciones locales; ejemplo de esto serían los shoshone occidentales y los tehuelche del sur de Argentina.

Esta clasificación preliminar, que permite hablar con

mayor conocimiento de causa sobre la situación de "los indios" al producirse la invasión europea, se basa en la legalidad social de que el desarrollo civilizatorio de una comunidad o nación se manifiesta, necesariamente, en el devenir de su sociedad política y de sus clases sociales. Por ende, al categorizar el grado de evolución social del hombre americano mediante el criterio de su estructura de clase y política, tomamos implícitamente en cuenta también otros indicadores importantes de desarrollo socio-cultural, tales como: el nivel de evolución de las fuerzas productivas, el estado de conocimiento científico (*v.gr.* astronómico y agrícola) y avance artístico, la densidad demográfica y el desarrollo urbanístico, entre otros. Las sociedades del primer tipo se caracterizan, por ejemplo, por una agricultura altamente desarrollada y frecuentemente de irrigación; formas de vida sedentarias; elaborados conocimientos astronómico-matemáticos; importantes centros urbanos; una relativamente avanzada división social del trabajo, etc. Las sociedades del tipo IV representan, por lo general, grupos sociales de recolectores y cazadores arcaicos, que para todos los indicadores mencionados se encuentran en un nivel rudimentario de desarrollo.

En forma esquemática, el panorama socio-cultural de las sociedades americanas se presenta, en 1492, con el siguiente perfil:

LA CONQUISTA DEL NUEVO MUNDO

La conquista ibérica fue realizada básicamente por tres sujetos históricos: el Estado absolutista, germen del moderno Estado nacional; la iglesia católica, aliada subordinada de la monarquía española y el sector privado, compuesto primordialmente por el capital mercantil y los conquistadores/encomenderos. Fueron fuerzas de una sociedad cuyo carácter civilizatorio se define por la transición de un sistema feudal hacia un sistema capitalista. De ahí sus intereses de apropiación: la sed de oro, de esclavos, especies y tierras, que motivan la expansión ibérica y la agresión a "nuevos mundos".

Ya desde el siglo XI la guerra contra las fuerzas islámicas en la península había perdido su carácter defensivo y se convertía cada vez más en una "guerra santa", cuyo último objetivo resultaba ser la apropiación de los bienes terrenales del "enemigo". A nivel europeo estas fuerzas expansionistas, hegemonizadas por el Papado romano conquistan, bajo el signo de la cruz y la espada, Jerusalén, pero sucumben posteriormente al poder islámico. En la Península Ibérica, Aragón sigue, durante el secular repliegue de las fuerzas islámicas, su tradicional ruta de expansión hacia el Mediterráneo, mientras Castilla se abre paso hacia el sur (Granada, África del Norte) y, posteriormente, hacia el Atlántico. Como trescientos años antes, en las cruzadas, fracasa el intento colonialista ibérico de conquistar los reinos árabes de África, mas triunfa en el "Nuevo Mundo". Las promesas del Papa Urbano II ante los primeros cruzados, de que Palestina era "otro Paraíso" donde corría "la miel y la leche" y cuyas tierras eran "las más fértiles de todas" se concretaron siglos más tarde en América: el Edén terrenal del colonizador europeo mercantil-feudal.

Desafortunadamente para los pueblos de América, la principal riqueza del "Nuevo Mundo" consistía en su mano de obra disciplinada y abundante. Ella es la fuerza cuasimágica que convierte las riquezas naturales del continente en los valores sociales apropiables codiciados por los nuevos amos. De ahí nace el trabajo forzado del hombre americano. Liberado en las hogueras de sus ídolos paganos, es sacrificado en hecatombes ante el becerro de oro de sus civilizadores: la ganancia rápida de minas y plantaciones. Donde no sirve para producir el plusproducto es reducido al estatus de animal cazable y exterminado u obligado a vegetar en "reservaciones".

Por desgracia para los pueblos africanos, las fértiles tierras americanas para los cultivos de exportación requerían de una enorme fuerza de trabajo disciplinada y dependiente. Para que en estas tierras prometidas corriera "la miel y la leche", hubo que cazar seres humanos en el "continente negro" y someterlos a lo que la apología colonial española alguna vez llamó, sin intención de ironía, "la suave y cristiana y perfecta manera de gobernar" (Manzano). De ahí nace la esclavitud afro-americana.

Ambas formas de producción y apropiación violenta de la riqueza americana por los europeos destruyen de raíz la etapa de descubrimiento y colonización del Nuevo Mundo, iniciada más de veinte mil años antes por los primeros pobladores americano-asiáticos. Sobre sus ruinas se establece la sociedad colonial mercantil-feudal europea que dejará como herencia secular tres estructuras de magnitud y trascendencia histórica mundial:

1. La integración asimétrica y dependiente de América Latina en el sistema mundial de dominación europea y, posteriormente, estadunidense-europea. Desde su incorporación violenta a este sistema de dominación/explotación occidental, América Latina nunca ha logrado salir de su estatus de vasallaje: lucha por resolver su soberanía económica y política y compartir este destino con el resto del "Tercer Mundo".

2. La división dicotómica de la sociedad americana en una "república de españoles" y una "república de indios"; es decir, una sociedad escindida en una élite privilegiada que acapara prerrogativas políticas, sociales, culturales y materiales y una masa de productores inmediatos carentes de dignas condiciones de vida.

3. La negación de la identidad y de la conciencia histórica de los pueblos americanos (y del "Tercer Mundo" en general) al sufrir la kafkiana metamorfosis de seres humanos a "indígenas" —tan extraordinariamente analizada por Sartre y Fanon: el resultado de la colonización, "ni hombre ni bestia, es el indígena" (J.P. Sartre)— a tal grado que hasta hoy resulta virtualmente imposible pensar la verdad histórica mediante el discurso imperante que reserva las categorías "Nuevo Mundo", descubrimiento, colonización, "indio", etc., para la pasajera obra de quinientos años de dominación occidental.

Es este tercer aspecto de la destrucción de la identidad

del vencido como *conditio sine qua non* del dominio estable del conquistador el que queremos profundizar en las páginas siguientes.

LA IDENTIDAD DEL HOMBRE

Desde el origen mismo del razonar humano, su existencia física ha estado vinculada a la reflexión sobre sí mismo y su lugar dentro del proceso del universo. La búsqueda de respuestas a interrogantes como: ¿de dónde provengo?, ¿quién soy?, ¿cuál es el sentido de mi ser?, han dado lugar al nacimiento del mito, la religión, la filosofía, el arte y, en sus inicios, también a la ciencia.

En efecto, no se puede pensar enfáticamente el concepto *razón* sin estos interrogantes que trascienden al ámbito de su mero empleo técnico-productivo. Podemos decir, por ende, que el perenne esfuerzo del ser humano para encontrar sus coordenadas específicas dentro de la infinidad de los procesos naturales y sociales es una constante antropológica.

Expresado de otra manera: la necesidad de ubicarse en el espacio, el tiempo y el movimiento del universo mediante los diferentes sistemas de interpretación del mundo mencionados, es una necesidad ontológica del *homo sapiens*, exclusiva de él (entre todas las especies) y esencial para él.

Sin embargo, las interrogantes ontológicas no nacen de la especulación filosófica ni son producto de la ociosidad intelectual: su cuna, como la de todas las manifestaciones del espíritu, es la vida práctica. Su función no consiste, primordialmente, en satisfacer inquietudes metafísicas, sino en favorecer el control de la realidad natural y social.

LOS TRES COMPONENTES DE LA IDENTIDAD HUMANA

Para dominar la realidad —y transformarla en medio útil para su uso— el hombre, desde su aurora, ha interpretado el universo mediante tres categorías elementales: espacio, tiempo y movimiento.

Necesitaba conocer el espacio físico-geográfico para sobrevivir en él e influenciarlo. Necesitaba aprender que las legalidades del mundo subatómico son diferentes a las del macrocosmos; asimismo, que las circunstancias geofísicas de su hábitat y, posteriormente, espacio nacional, condicionarán en gran medida el destino de la nación.

De igual importancia es la conciencia del tiempo (concepto derivado de la categoría "movimiento"), es decir, del tiempo histórico en que uno actúa, porque cada época histórica abre oportunidades únicas para un pueblo y cierra otras ya caducas que se han vuelto anacrónicas.

Lo que en los tiempos heroicos del caballero andante que audazmente conquista el mundo es el *Cid Campeador*, en los albores de la sociedad burguesa se convierte en *Don Quijote*. Lo trágico de una era se vuelve cómico en otra y viceversa. Lo que ayer se inició como vanguardia mañana puede ser retaguardia y el proyecto histórico lanzado a destiempo puede fracasar o desfigurarse en su noble fin, al no encontrar respuesta en las condiciones objetivas. De igual manera, al no aprovechar la coyuntura del momento —al no pasar por la puerta que la historia abrió al porvenir— la ocasión puede no volver jamás. Asimismo, un pueblo que no tiene conciencia de su historia está condenado a sufrir de nuevo las amargas experiencias del pasado.

Si el espacio y el tiempo son categorías fácilmente aceptadas, la importancia del movimiento y su propia realidad han sido cuestionadas. Sin embargo, todos los procesos en el espacio y en el tiempo están en movimiento. Quiere decir, que tienen determinada dirección y ritmo de desarrollo. En algunos procesos la dirección del movimiento y su punto final se conocen. Por ejemplo, la vida de una persona es un continuo proyectarse hacia el futuro, es decir, un continuo movimiento hacia el punto terminal: la muerte. Eso, en gran medida, le da sentido y orientación práctica a su vida.

Nada comparable existe en la vida de los pueblos. La ausencia de una muerte biológica de la entidad, que dramatice el movimiento como condición sustancial de su ser, no contribuye a desarrollar una conciencia de su existencia, no contribuye a desarrollar una conciencia de la constante evolución y cambio de la sociedad y su posible meta final. En consecuencia, confusiones opacan con frecuencia la conciencia colectiva de una nación e impiden que busque el devenir dentro de sus posibilidades históricas reales. Al contrario, cae víctima de quimeras enajenantes.

IDENTIDAD Y VIOLENCIA COLONIAL

En la comprensión de las tres dimensiones de nuestro ser concreto se gesta y cristaliza la capacidad de determinar nuestro propio destino, nuestro porvenir individual, de clase y como nación. En esto consiste la identidad. La identidad de un sujeto individual o colectivo es el compás o la brújula que orienta su odisea a través de la historia.

De ahí deriva la importancia que cualquier conquistador o dominador concede al control psicológico del sometido. La destrucción de la identidad de éste es la *conditio sine qua non* de un sistema estable de dominación. La colonización física-material requiere de la colonización mental para que pueda realizarse el fin último de cualquier sistema de dominación: la explotación del sometido.

La destrucción de la personalidad de un sujeto histórico es un proceso extremadamente violento que, por lo general, es llevado a cabo mediante la aplicación masiva del terror. Esto explica el hecho de que encontremos básicamente los mismos mecanismos de terror en las colonizaciones europeas que en las prácticas "científicas" de tortura en los regímenes totalitarios actuales.

Es elocuente, al respecto, el paradigma metodológico imperante en determinados sectores de la psiquiatría conductista contemporánea: conceptualiza la mente humana a manera de una cinta magnetofónica que en caso de síntomas "patológicos" debe borrarse —mediante choques eléctricos y otras medidas de tortura que implican una mayor carga de energía traumatizante que la del "síndrome"— y "regrabarse" con el discurso del "nuevo orden". Esta analogía es útil como matriz de interpretación teórica porque permite entender tanto los mecanismos utilizados para la destrucción del mundo mental del sometido como los mecanismos empleados para su "adaptación" a la civilización del conquistador.

Una vez lograda la destrucción de la identidad *sui generis* del sujeto histórico, el volumen del terror físico puede bajar, ya que su función es asumida, en gran parte, por mecanismos de adoctrinamiento ideológico. Dicho de otra manera: lograda la alienación del sometido mediante (primordialmente) la coerción física, la tarea del colonizador se concreta a mantener este estado de alienación y a convertirlo en su estado natural; es por eso que la colonización significa siempre la falsificación de la historia, si no su anatematización.

EL DISCURSO COLONIZADOR

El medio principal para el control mental de los sometidos que requiere el nuevo sistema de dominación y explotación colonial, es el discurso del "nuevo orden", que conjuga los elementos de enajenación secular con los de la enajenación metafísica (religiosa) para levantar una barrera duradera contra los fantasmas del pasado indígena. Sobre las ruinas de la personalidad autóctona el poder colonial reconstruye la nueva estructura caracterológica que convierte lo que era un ser humano en servil bestia de trabajo y esclavo mental. De esta manera y a la par con los templos y catedrales de piedra que los vencedores levantan sobre las pirámides de los vencidos, edifican en paciente labor sus templos y palacios espirituales de dominación en las cabezas de las víctimas.

Los elementos con que se construyen estas cadenas invisibles son los mitos, metáforas, doctrinas, conceptos e ideas de la nueva clase dominante que determinan no sólo el presente y el futuro del colonizado sino también su pasado. El *vae victis* de los invasores significa que se reescriba la historia del "indígena" para que, aunque vuelva la vista atrás, no se reconozca en ella. Cortado de raíz y enturbiado el espejo de la historia, el colonizado se convierte en fácil elemento de manipulación. Donde conserva su sensibilidad y memoria del pasado sólo le queda, como forma de resistencia pasiva, inmutarse ante la imposición o expresar su rebeldía en formas ritualizadamente toleradas como el baile, la música, el carnaval, etcétera.

El objetivo inmediato del discurso del *ordine novo* y de sus métodos terroristas de implantación, consiste en purificar el pensamiento (y las prácticas correspondientes) de los sometidos de sus "ídolos" y "demonios", a fin de que puedan concebir la verdadera fe y entrar en comunión con los verdaderos dioses. Paralelamente a la canonización del lenguaje que excluye del universo simbólico público las ideas y códigos lingüísticos anatematizados, se obliga a los sometidos a destruir por sí mismos sus recintos sagrados de veneración milenaria y a arrojar con sus propias manos sus dioses a las hogueras cristianas, en un ritual de traumatización y destrucción psicológica del americano, difícil de superar en crueldad, terror y eficiencia.

Sin embargo, la finalidad última de los "extirpadores de idolatría" coloniales y de su sistema de indoctrinación, no consiste en *prohibir* el discurso sobre determinados sectores de la realidad, sino en hacer imposible *pensar* esta realidad fuera de la ortodoxia establecida. Los mecanismos psicolingüísticos para lograr ese fin son múltiples: la estigmatización negativa o ridiculización de todo lo autóctono; la "animalización" del "indígena"; el uso de términos peyorativos y/o eufemísticos; la utilización de premisas tendenciosas en la presentación de los hechos y la presentación de éstos de manera aislada o fuera de un marco de referencia significativo; la desviación del discurso hacia disyuntivas propagandísticas de interpretación del mundo colonial, como la ridícula discusión entre la "leyenda rosa" y la "leyenda negra" o el supuesto carácter espiritual de la colonización hispánica *versus* el carácter utilitario de la colonización anglosajona, entre otros.

El *newspeak* del colonizador, como cualquier otro discurso de dominación, utiliza la mayoría de esas técnicas psico-lingüísticas para afianzar el nuevo orden y convertir el hecho coyuntural —posiblemente transitorio— de la conquista en un hecho consumado. La misma Corona española adecúa oportunamente su ideología legitimadora a las cambiantes necesidades de indoctrinación colonial. Una vez asegurado su dominio en el Nuevo Mundo, sustituye en las Ordenanzas de 1573 (de Felipe II) el término "conquista" por el de "pacificación"o "poblamiento". Las conquistas, ahora prohibidas *ex profeso*, son reemplazadas por la "penetración pacífica" y el "poblamiento", si no en el *Brave New World* de la cruda realidad colonial, al menos en el hermoso mundo de las Leyes de Indias.

Es asombroso el continuismo de la ideología colonialista sobre nuestra América. A quinientos años de haberse demostrado la errónea percepción de Colón de haber tocado tierra en "las indias", se sigue haciendo referencia, genéricamente, a los pobladores originarios como "indios". La resistencia a rectificar el término a "americanos" —lo que constituye un nombre mucho más coherente y sin carga semántica negativa— obedece obviamente a intereses de dominación que se benefician del todo psico-lingüístico acuñado hace medio milenio. Las demás categorías utilizadas para los pueblos americanos como nativos, indígenas, aborígenes, primitivos, etc., sirven los mismos propósitos: no son categorías para la descripción y/o explicación del fenómeno sino para su utilización propagandística al servicio de las élites vencedoras. Particularmente ilustrativos en este sentido son los términos "aborígenes" y "naturales". El primero despierta inevitablemente asociaciones de entes paleontológicos o antropoides prehistóricos. El segundo es todavía peor. La *differentia specifica* entre el hombre y los animales radica precisamente en el hecho de que el hombre está dotado de la razón y del trabajo consciente. Al denominarlo como "natural", se le hace parte del reino animal: se le asigna a la clase lógica de los infrahumanos.

Con frecuencia, el código colonial vigente ni siquiera concede a los pueblos americanos el uso de su propio nombre genérico, cuando en Estados Unidos, por ejemplo, en lugar de hablar de la etnia "dakota" se utiliza el nombre dado por los conquistadores europeos, en este caso, la denominación francesa, *siux*. "Cacique" —o en Estados Unidos, chief— es otro ejemplo de concepto con connotación negativa y abstracta que deshumaniza a los líderes de los pueblos americanos, justificando, de esta manera, su represión. Leer en las crónicas coloniales, por ejemplo, que Oviedo decidió "quemar vivo al cacique Corobari" o que las autoridades coloniales decidieron despedazar públicamente al "cacique Tupac Amaru" evoca en el lector una reacción emotiva y moral mucho menos severa que si se tratara de un lenguaje menos ideológico y manipulador.

Es asombrosa, mas no inexplicable, la continuidad del discurso colonialista. En la raíz del fenómeno está la persistencia de las relaciones de explotación/dominación colonialistas, las cuales siguen produciendo las ideologías de justificación necesarias para ocultar el hecho del sometimiento de América. Al relativo éxito de estas ideologías (neo-)colonialistas no es ajeno el pensamiento hispanófilo o eurocentrista que caracterizó a la gran mayoría de la intelectualidad criolla durante siglos. De tal manera que, si muchas de sus más destacadas personalidades (y hasta próceres de la independencia) fueron incapaces de ver nuestra América con ojos latinoamericanos, menos eran capaces de *comenzar a ser América*. Su *imago mundi*, sea por oportunismo subjetivo, sea por trágica ceguera histórica, seguía las visiones y mitos destinados —desde el arribo mismo del gran *Révélateur du Globe* y la violenta ruptura del metabolismo socio-cultural americano— a enjaular el cuerpo y el espíritu de los hombres y mujeres de nuestra América.

Son contadas las excepciones a esta tradición servil eurocentrista y difícilmente se encuentra otro intelectual de la grandeza de Martí, quien entendió que la gran ceiba americana se nutría de su raíz negra, cobre y blanca y quien, con criterio sagaz, latinoamericanista e incorruptible supo visionar con lenguaje poético las fronteras y condiciones ontológicas de nuestra América, sin pedir migajas intelectuales a los vencedores.

Si hay un campo en que la miseria de la filosofía latinoamericana se revela con mayor claridad es éste. En la multiplicidad de respuestas que ha provocado el problema de la identidad del hombre latinoamericano destacan los raciocinios idealistas, etnocentristas y agnósticos. Sólo en una minoría de los casos esa *docta ignorantia* es el resultado de la incapacidad intelectual de sus autores: por lo general se trata de un agnosticismo interesado que desde hace quinientos años está al servicio del poder.

Dejando estas posiciones mistificadoras, que merecen una crítica propia, podemos afirmar de manera axiomática que no existe sujeto individual o colectivo —sea persona, clase social, pueblo o nación— que no tenga identidad propia, debido a que ésta es la visión del mundo o *Weltanschauung* que le es necesaria para conducirse en su quehacer. Es la brújula que lo guía a través de los constantes cambios de la realidad en que vive.

El problema de la identidad de cualquier pueblo se reduce, por ende, a la interrogante acerca de su *Gestalt* concreta, o sea, su contenido y estructura real. En el contexto de nuestro debate sobre ''Emancipación e identidad de América Latina: 1492-1992'', la teoría de la identidad latinoamericana ha de partir —genética y lógicamente— de dos categorías centrales: la violencia y el trabajo. En lo referente a la violencia, porque es el desenvolvimiento de la dialéctica del amo y el esclavo, de la represión y emancipación (que implica la categoría para América Latina) que proporcionará la estructura orgánica de la reflexión filosófica sobre el particular. En cuanto al trabajo, porque es la dialéctica de la producción y expropiación a través de los siglos lo que forma y deforma la identidad del hombre americano.

Es dentro de esta estructura orgánica y conductora de la reflexión donde se sitúan las contribuciones de las diversas ciencias y reflexiones particulares, orientadas por interrogantes concretos como: ¿qué tan racional o irracional es?, ¿qué tan consciente o inconsciente? y, ¿qué tan emancipadora o enajenante —colonizada— es esa identidad?

Sin querer profundizar demasiado en la reflexión de estas preguntas, adelantamos las siguientes hipótesis para su discusión:

LAS ESTRUCTURAS DE LA IDENTIDAD LATINOAMERICANA

La estructura de superficie

La identidad latinoamericana tiene algunos rasgos generales (o formales) que podemos denominar su *estructura de superficie* (*surface structure*, Noam Chomsky) o estructura superficial. Entre ellos destacan: a) el lenguaje común; b) el catolicismo; c) la trascendental importancia de las relaciones sociales familiares; d) el machismo de los hombres y las actitudes correspondientes en las mujeres (el patriarcalismo).

Al hablar de características generales nos referimos al hecho de que estos rasgos prevalecen en la gran mayoría de la población latinoamericana; es decir, constatamos y describimos una situación real, sin emitir un juicio acerca de lo deseable o no deseable de que sea así. Cuando el estudio pase de este nivel descriptivo al analítico, entonces será necesario evaluar la importancia histórica y el potencial de liberación/opresión de cada uno de estos elementos y su interacción dentro de la unidad contradictoria llamada *estructura de superficie*.

La estructura profunda

La segunda estructura principal de la identidad latinoamericana puede conceptualizarse como una estructura profunda (*depth structure*) u ontológica, la cual está constituida, a su vez, por diferentes sistemas o estratos de los que mencionaremos aquí sólo dos.

El primero es el estrato que en la cultura europea se conoce como "lo dionisiaco" y que se encuentra tan maravillosamente expresado para el mundo latinoamericano en el Macondo de García Márquez. Este es el mundo del folclor y del sentimiento, de la magia, fantasía y superstición, de la pasión, la vitalidad, el romanticismo y los arcaísmos.

Este reino del preconsciente es el resultado de la conquista, del traumático sometimiento de las culturas americanas a las europeas por medio del terrorismo colonial que quemó a indios e ídolos para imponer su régimen. En el sincretismo de este estrato ontológico coexisten la veneración por las viejas deidades americanas con la reverencia por los dioses blancos triunfantes: la Pachamama de los pueblos andinos con la Virgen María de los pueblos hebreo-cristianos y la "danza del espíritu" de los siux con la liturgia protestante.

Es aquí donde encontramos lo más singular de la personalidad latinoamericana, su inconfundible idiosincrasia particular frente a otras culturas regionales como la mediterránea, la atlántica, etcétera. Se trata de los fundamentos telúricos en la arquitectura de la personalidad latinoamericana.

El segundo estrato de la estructura profunda es lo que se puede experimentar empíricamente como una especie de solidaridad o hermandad espontánea entre los pueblos del subcontinente. Un vínculo de comunión que no existe entre los ciudadanos de Estados Unidos ni de Europa y que se puede describir como un lazo social preestatal, tal como se encuentra entre los miembros de un clan o una comunidad. Podríamos entender este rasgo social como un "bolivarianismo afectivo".

Claro está que no hay que idealizar esta relación. Su importancia se ve restringida, frecuentemente, por intereses de clase y prejuicios racistas y sociales. Es probable, por ejemplo, que un brasileño negro o una campesina boliviana en términos generales no encuentren la misma hospitalidad y receptividad en América Latina que criollos y mestizos. Aún así es válido todavía el deseo y la consigna de José Martí de que un americano en Cuba no puede ser extranjero, al igual que un cubano no puede ser extranjero en nuestra América.

No es exageración alguna el constatar que desde su integración dependiente al sistema de dominación occidental (primero europeo y después estadunidense-europeo) hace 500 años, los pueblos y naciones latinoamericanos no han podido recuperar su soberanía política.

Pero, hablar de la pérdida de soberanía política de América Latina significa hablar de la pérdida de sus riquezas económicas, porque la violencia dominadora estuvo, como siempre en la historia, al servicio de la apropiación de los recursos ajenos. Esta fue la lógica que trajo a los conquistadores ibéricos al Nuevo Mundo y es la que atrae hoy al Fondo Monetario Internacional y a los *marines*.

Emancipación de los pueblos latinoamericanos puede, por ende, no significar otra cosa que la ruptura de la asimétrica dependencia externa, así como la transformación a fondo de las estructuras represivas internas que son el legado de medio milenio de evolución truncada.

En este camino hacia la construcción de una sociedad hermanada, participativa y democrática es imprescindible usar, como dice Galeano, la historia que mira hacia adelante. La capacidad latinoamericana y de cada uno de sus pueblos para determinar su propio destino depende de su identidad, es decir, de la comprensión de las tres dimensiones de nuestro ser concreto dentro del continuo: pasado-presente-porvenir. La identidad es lo que confiere al cambio la esencia de continuidad, autodeterminación y razón del sujeto, mientras el cambio le permite a ella la permanencia de su esencia.

Un pueblo sin identidad es un gigante miope. No puede ver el camino que ha de andar para su liberación. Destruir su identidad u ofuscarla significa cegar al pueblo y mantenerlo dentro de las cadenas seculares que le han sido impuestas. Contribuir a la reconstrucción y al avance de esta identidad, es decir, su capacidad de autodeterminación es, por ende, obligación prometeica de cualquier auténtico compromiso latinoamericanista.

Será dentro de la titánica idea de Bolívar sobre "América, la Patria grande", reafirmada en el ideario de "nuestra América" de José Martí y la praxis abnegada de millones de latinoamericanos, como se ha de crear el Nuevo Mundo americano poblado por hombres hermanados. Al V Centenario de la conquista de América hay que entenderlo como una oportunidad para integrarse a esta gran tarea.

AMÉRICA LATINA: IDENTIDAD, MEMORIA HISTÓRICA Y UTOPÍA

RUBÉN R. DRI

Los seres históricos no tienen la identidad inscrita en alguna esencia o naturaleza determinada de una vez por siempre, como las piedras. La identidad de éstas no ofrece ni plantea problemas. En los seres históricos —sean éstos personas individuales, etnias, tribus, agrupaciones, pueblos o continentes— la identidad es un problema, más que un problema, una tarea histórica. Su identidad no existe, no está, es necesario encontrarla, reencontrarla, reinventarla, afirmarla y proyectarla.

En primer lugar, es necesario encontrarla o, mejor, reencontrarla. Para ello hay que poner en funcionamiento la memoria histórica. Cuando un pueblo sufre un proceso de dominación, el dominador se plantea como una de las tareas primordiales el borrar las raíces, los orígenes del pueblo dominado, hacerle perder la memoria de su historia, de sus luchas, de sus triunfos y derrotas, de sus héroes, luchadores y mártires. Tarea primera para la lucha por la liberación será, pues, la de recuperar la memoria, hacerla funcionar, y con ella recuperar las propias raíces de donde surgirán las fuerzas necesarias para la empresa liberadora.

Pero ninguna identidad es la repetición del pasado. Eso es simplemente negación de la historia y con ello autonegación. Las raíces redescubiertas sirven para reinventar la identidad, recrearla y proyectarla hacia el futuro. En el horizonte siempre asoma la utopía creadora, que da alas a la fantasía y fuerzas al ánimo para emprender no sólo las arduas luchas de liberación en contra del opresor, sino también para desplegar las dormidas fuerzas creativas que anidan en el alma de todo pueblo. El pasado —la tradición—, el presente —las luchas actuales— y el futuro —la utopía— se anudan dialécticamente. El pasado redescubierto es negado como tal, para ser asumido en un nuevo nivel en el presente de luchas y proyectado hacia el futuro que niega el presente como tal, para asumirlo en nuevos niveles de realización.

Se trata de una continuidad discontinua, donde no pueden existir lagunas sin llenar, fracturas sin saldar. Pero las lagunas no se pueden llenar simplemente agregando agua, ni las fracturas saldar levantando puentes, sino que las lagunas deben eliminarse como lagunas y transformarse en lagos, y las fracturas eliminarse como fracturas y transformarse en un nuevo terreno.

DESCUBRIMIENTO, CONQUISTA Y COLONIZACIÓN

El poder mundial que comienza a gestarse en las postrimerías del medioevo y que con el nombre de capitalismo terminaría sometiendo al mundo entero, a fines del siglo XV (1492) descubre América. Ello significa: incorpora a su visión un nuevo continente, el americano.

Hegel, el gran filósofo del poder mundial que descubre América, expresó que la cultura de los pueblos americanos era "natural", de modo que "había de perecer tan pronto como el espíritu se acercara a ella". Efectivamente, el descubrimiento no es otra cosa que el acercamiento del "espíritu" a las tierras de América, pero ese espíritu venía pertrechado, como el mismo Hegel lo señala, con "el caballo y el hierro".

De aquí debemos partir para recuperar la memoria de nuestros pueblos americanos. Somos fruto de una gran violencia, de un descubrimiento violento, de una violación. Esta realidad debe ser vista de frente y develada en toda su significación. Si se la oculta, los impulsos reprimidos se vengarán, producirán la negatividad destructiva que hace mucho más difícil el tránsito creador de los pueblos.

Naturalmente que no nos podemos quedar allí. Los pueblos latinoamericanos son pueblos nuevos, surgidos a partir de aquel acto de violación. El hijo de una violación no es un "maldito". Tiene todas las posibilidades de ser creativo, de acceder a niveles de liberación y creatividad impensados. Pero no puede serlo sobre la mentira. No lo será nunca si vergonzosamente niega sus orígenes, es decir, si niega el mismo origen de su historia. Si lo reconoce y lo asume dialécticamente, verá en ese mismo origen potencialidades insospechadas de creatividad. La experiencia de la humillación, del sometimiento, del sufrimiento, en una palabra, de la negatividad, puede tener, y de hecho tiene una fecundidad increíble cuando es asumida de frente y de esa manera superada. Asumir, no significa consentir, aceptar, olvidar o perdonar. Nada de eso. Significa reconocer, recordar y aprovechar toda su fuerza dialéctica y en consecuencia transformadora.

El acto de violencia violatoria perpetrado por el imperio español mediante el descubrimiento, la conquista y la colonización se continuó con las oligarquías nativas o criollas que ejercieron la más despiadada violencia sobre las poblaciones mestizas e indígenas; con los expansivos imperios que se gestaron en el seno del capitalismo —imperio inglés y norteamericano— hasta culminar en la presente situación de dependencia total de Latinoamérica, sometida a la política de muerte que se genera en las grandes usinas del poder imperial mundial, es decir, desde las Transnacionales, que, por medio de la llamada "deuda externa" se están apoderando de todos los resortes del poder económico y político.

Pero hay un componente esencial del acto de violencia violatoria perpetrada en sus inicios por el imperio español y continuada luego de diversas maneras según indicaba hace un momento, que no puede ser de ninguna manera soslayado. Me refiero a la legitimación religiosa que le prestó la Iglesia Católica. No ignoro la legitimación dada por otras iglesias protestantes a los actos de colonización en general, pero en América Latina el peso fundamental, a todas luces y de lejos hegemónico corrió por cuenta de la Iglesia Católica.

El descubrimiento del nuevo continente para el imperio español fue al mismo tiempo el descubrimiento de un nuevo continente de almas para la "Iglesia de Cristo"; la conquista de nuevos territorios que ensanchaban el imperio, de modo que en sus límites "nunca se ponía el sol", era al mismo tiempo la conquista de nuevas y numerosas almas, que no cuerpos, para Cristo. La colonización de las poblaciones indígenas era al mismo tiempo "evangelización". "Pari passu" se realizaban la conquista material y la espiritual; se empleaban los cuerpos indígenas para extraer riquezas que iban a engrosar las arcas de las monarquías europeas y a financiar guerras imperiales o a decorar basílicas del Vaticano, y se cultivaban las almas para que, al abandonar los cuerpos tempranamente inutilizados, pudiesen gozar de la eterna bienaventuranza. Los "católicos reyes" de España y Portugal sólo vieron plenamente legitimada su empresa cuando desde el Vaticano se les entregó las nuevas "tierras descubiertas y por descubrir", a fin de que las poblaciones indígenas tuviesen la dicha de conocer la doctrina de Cristo y así ser dignas de la salvación eterna.

En esto último hay un hecho fundamental que señalar, sin cuyo reconocimiento la recuperación de la memoria histórica no sería otra cosa que legitimación del "olvido histórico". Me refiero a la participación de la Iglesia como institución en el proyecto dominador imperial y la consecuente legitimación teológica que le proporcionó. Los Papas entregaron estas tierras "de infieles a los reyes católicos de España y Portugal para que convirtiesen a los indios a la fe católica" como puede verse en las Bulas papales "Aeterni Regis" (8/1/1493), "Inter caetera" (3-4/5/1493), "Eximiae salvationis" (3/5/1493). Como dejó estampado la reina Isabel la Católica en su testamento: "Nuestra principal intención fue, al mismo tiempo que lo suplicamos al Papa Alejandro VI, de buena memoria, que nos hizo la dicha concesión, de procurar inducir y traer los pueblos de ellas, y los convertir a nuestra santa Fe Católica y los adoctrinar y enseñar buenas costumbres."

La conquista se realiza, pues, en el más genuino sentido de la cruzada. Sólo a partir de esta recuperación de la memoria histórica del proyecto global de dominación legitimado teológicamente, podemos y debemos recuperar también su contradicción interna, su talón de Aquiles, la crítica formulada desde dentro del proyecto por una corriente de misioneros, entre los que sobresalen figuras como las de Bartolomé de Las Casas, Antonio Montesinos y Antonio Valdivieso. Ellos representan la mala conciencia de la conquista. La figura sin duda más representativa de estos meritorios misioneros es Bartolomé de Las Casas, el encomendero convertido que se transforma en el defensor de los indígenas explotados. Pues bien, Las Casas no llegó a cuestionar de raíz el proyecto de dominación, pues "los reyes de Castilla y León tienen justísimo título al imperio soberano e universal o alto de todo el orbe de las que llamamos Océanas Indias, e son justamente príncipes soberanos, y universales señores y emperadores sobre los reyes y señores naturales dellas, por virtud de la auctoridad, concesión y donación, no simple y mera, sino modal, id est, ob interpositam causam, que la Sancta Sede apostólica interpuso y les hizo". Lo máximo que llegó a postular —y eso no es poco si atendemos a las circunstancias— es que bajo la dominación del imperio "los reyes y señores naturales de los indios (tuviesen) su administración, jurisdicción, derechos y dominios sobre sus pueblos súbditos o que política o realmente se rijan".

MEMORIA HISTÓRICA

Cuando procedemos a recuperar la memoria histórica de los orígenes de nuestros actuales pueblos latinoamericanos, rememoramos el acto del descubrimiento, conquista y colonización como un inmenso acto de violencia violatoria contra los pueblos indígenas y en ese sentido lo rechazamos y condenamos. Pero al mismo tiempo rememoramos la contradicción interna de ese acto dominador, la defensa de los indígenas realizada por los misioneros ubicados en la línea de Las Casas, junto con las luchas de los indígenas que en absoluta inferioridad de condiciones, sin "el hierro y el caballo" de que estaba dotado el espíritu que se había acercado, resistieron la destrucción.

De ese pasado así rememorado surgen arquetipos que alimentan las mismas raíces de nuestros pueblos latinoamericanos, y fundamentan la conservación e impulsan el crecimiento de una identidad siempre amenazada por el olvido. Caupolicán, Cuauhtémoc, Anahí, Las Casas, Valdivieso, Montesinos, figuras la mayoría de ellas históricas en su núcleo fundamental; algunas, como Anahí, puramente legendarias, pero todas ellas significando mucho, muchísimo más que su mera facticidad histórica. Todos ellos ya son arquetipos, no son simplemente ellos, son lo que los pueblos crean y recrean continuamente para alimentar sus esperanzas, animar sus luchas, proyectar su futuro y también consolarse de lo insoportable de su situación.

Es tarea del dominador el provocar el "olvido" en los pueblos dominados. Dos son las maneras con las cuales realiza este cometido: La desaparición de determinados hechos protagonizados por el pueblo o por sus figuras fundamentales, o —lo más común y eficaz— su reinterpretación desde la óptica del dominador. Lo importante es que el dominado vea su propia historia con horror, con vergüenza; que tenga necesidad de olvidarse de la misma, de borrarla si ello fuera posible. Así, sus líderes aparecerán como bandidos, salteadores, salvajes, asesinos; y las luchas protagonizadas por el pueblo serán masacres, "malones salvajes" que buscaban violar, asesinar y esclavizar.

A esta lectura los pueblos, de manera inconsciente, le van oponiendo una contralectura muchas veces vergonzante, pero que de una u otra manera aflora en momentos claves de la historia. Es esta lectura la que es necesario y urgente ayudar a desentrañar, profundizar y presentar a la luz pública como la verdadera lectura de la historia, no porque tenga mayor veracidad fáctica que la otra, sino mayor veracidad en el sentido pleno de la verdad, que no pertenece al mero ámbito de lo fáctico, sino al de los proyectos históricos, en los que se conjuntan la razón, el sentimiento y la fantasía. Los hechos y personajes se transforman en símbolos rebosantes de sentido que los pueblos recrean y reinterpretan continuamente.

Si es cierto que los líderes que el pueblo considera suyos muchas veces se excedieron en sus actos, si cometieron crímenes, nunca fueron mayores que los de sus adversarios, y sobre todo, lo hicieron en función de un proyecto de liberación. No se trata de disculparlos o justificarlos, sino de ubicarlos en su verdadero contexto y considerar todo su poder simbólico. Ni Moisés, ni Josué fueron perfectos. Fueron caudillos de su pueblo en un momento difícil en el que supieron conducirlo en sus luchas en contra de la opresión. A partir de allí será necesario ayudar al pueblo a recuperar sus figuras en función del proyecto liberador, sin que ello signifique confundir los niveles de la investigación histórica y de la significación que adquieren para el pueblo. Así, por ejemplo, la investigación histórica se encarga de analizar puntualmente las distintas facetas y hechos de la acción de Sandino. El intelectual orgánico de su pueblo, hermeneuta, filósofo, teólogo o sociólogo, debe ir más allá. Sandino no fue un personaje del pasado. Es actual. Vive y debe vivir como un verdadero símbolo que contribuya a unir a nuestros pueblos latinoamericanos ante una empresa común de liberación. El verdadero Sandino es el que vive en la memoria y en las luchas del pueblo nicaragüense. Sandino es mucho más que Sandino. Es un pueblo que en su figura siempre recreada condensa sus luchas, esperanzas e ilusiones.

LA RECUPERACIÓN DE LA UTOPÍA

No es posible la identidad de un pueblo sin memoria histórica creativa, recuperadora de los arquetipos que lo unen a sus raíces. No es posible la lucha por la liberación sin identidad, pero tampoco lo es sin la apertura hacia el futuro que da una gran utopía. Hoy más que nunca, en esta hora de estrangulamiento de nuestros pueblos a través del diabólico mecanismo de la deuda externa, se hace indispensable la reanimación de la utopía que les permita abrir las compuertas de sus grandes potencialidades creadoras.

El acto de descubrimiento, conquista y colonización fue

un inmenso acto de violencia violatoria, pero fue, como todos los acontecimientos históricos, un acto dialéctico. Fue un acto de muerte-vida. Violencia de muerte —las cifras al respecto son escalofriantes—, pero de esa muerte surgieron pueblos nuevos, en los que se encuentran entremezclados los aborígenes, los españoles conquistadores, los negros traídos como esclavos y las diferentes poblaciones europeas, la mayoría de las cuales venían expulsadas por la expansión capitalista. Recuperar la memoria histórica, ver de frente la acción de muerte cometida por la acción dominadora y exterminadora, no significa lamentarse, llorar o querer volver al pasado. Significa recuperar la propia identidad sin mentiras, de frente, con sus luces y sombras, sin rehuir la aceptación de la realidad de lo negativo.

Los pueblos latinoamericanos actuales con sus masas de inmigrantes europeos de distintas nacionalidades, con las diversas etnias aborígenes todavía no integradas en el pleno sentido de la palabra, son una realidad nueva en proceso de formación. Los aborígenes ya no son lo que fueron ni lo serán nunca más. Son o deben ser parte integrante, sustancial, de los nuevos pueblos. El proceso de formación de éstos se encuentra obstaculizado de mil maneras. Se los quiere mantener divididos, desmemoriados, autodespreciados.

Se hace necesaria, imprescindible, la reanimación de la gran utopía latinoamericana, la que alimentó el accionar de los mejores hombres de la independencia latinoamericana, brillantemente tipificados en la figura de Bolívar. En la recuperación de la gran utopía latinoamericana deben confluir todas las corrientes que concurrieron en la conformación de los nuevos pueblos latinoamericanos.

En este sentido quiero citar en primer lugar el cristianismo. Como se vio, la conquista se realiza con legitimación religiosa. Hay una concepción imperial de cruzada, en la gesta de la colonización. Pero junto a la misma está la crítica que realizan los misioneros ubicados en la línea de Las Casas. Es necesario recuperar esta línea cristiana que abreva en las fuentes profético-evangélicas, hasta llegar a la formulación plena de la utopía que le es inherente, el "Reino de Dios", la sociedad de hermanos en la que todo es compartido y por ese medio todos encuentran plena saciedad, tanto en su cuerpo como en su alma. Es el gran proyecto de los profetas hebreos que culmina en el mensaje evangélico del Reino de Dios el que hay que recuperar desde el cristianismo para nuestros pueblos, frente al proyecto sacerdotal de dominación que legitimó toda la violencia violatoria que sufrió este continente.

Junto a esta vertiente utópica se ubican las utopías gestadas en las diversas etnias y pueblos aborígenes que pululan a todo lo largo y ancho del continente latinoamericano, y las de los diversos grupos pertenecientes a pueblos europeos que se hallan afincados en territorio latinoamericano, así como las de los negros venidos del África.

La utopía no es una mera evasión. No es un salirse de la realidad para no verla. No es un mero imposible. Es el horizonte siempre soñado, siempre visto en lontananza, el punto hacia el que tienden todas las energías creadoras de un pueblo, y que de esa manera se transforma en el verdadero centro dinamizador de su accionar. Nunca alcanzable o agotada en plenitud, pues allí terminaría la historia, siempre está presente como fermento, como crítica inmanente. Es el aguijón que no permite detenerse. Es la apertura de horizontes que muestra que la liberación es posible.

Una utopía común, la de la Gran Patria Latinoamericana, favorecida por el habla común, uno de los frutos preciados que surgen dialécticamente de ese inmenso acto de muerte que fue la conquista, es una de las tareas urgentes del presente latinoamericano.

DEL DESCUBRIMIENTO AL DESENCUBRIMIENTO

(*HACIA UN DESAGRAVIO HISTÓRICO*)

ENRIQUE DUSSEL

Hace exactamente veinte años, en Münster, escribíamos unas páginas sobre lo que en ese entonces llamabamos el "*ser* de Latinoamérica", con toda la ambigüedad que esto pudiera contener. Al acercarnos al quinto centenario del acontecimiento, ciertamente ineludible en nuestra historia, de la llegada de Colón a una de nuestras islas del Mar Océano, no podemos dejar de volver a pensar aquel momento fundacional. La ocasión es tanto más propicia ya que, se quiera o no, la *interpretación* presente de aquel hecho pasado tiene consecuencias para el futuro. En las tensiones y hasta contradicciones de la constitución de sentido de aquel acto no se juega solamente una cierta recuperación de lo ya acontecido, se juega más bien una cierta opción teórica y práctica ante la realidad crítica latinoamericana contemporánea. Como siempre, echar una mirada hacia el pasado no deja de tener implicaciones actuales. Que España haya lanzado, y hasta un gobierno socialdemócrata, la idea de la conmemoración no deja de hacernos pensar. Y que nosotros, grupos muy diversos y de distintas naciones, vayamos tomando posiciones de las más variadas no deja de tener consecuencias no sólo teóricas, culturales o académicas, sino igualmente políticas y de cierta trascendencia aún en la vida de nuestros pueblos. Una reinterpretación, una profundización, un desencubrimiento del sentido de la llegada de Colón y los que le siguieron a nuestro continente, no podrá dejar de tener sus efectos. En esta *lucha hermenéutica*, contradicción entre interpretaciones, lo que interesa no es el brillo o espectacularidad de los discursos, sino el grado de realidad que manifiesten con respecto al sujeto práctico e histórico con el que se articula. Cada interpretación teórica tiene su correlato práctico, y por ello, al fin, es manifestación ideológica de un actor en el drama de nuestra historia.

LA INVENCIÓN DE AMÉRICA (FENOMENOLOGÍA DESDE LA SUBJETIVIDAD EUROPEA)

Hace ya casi treinta años en una hermosa obra de Edmundo O'Gorman, se postuló la tesis de *La invención de América*[1]. La tesis, de inspiración heideggeriana y no sin influencia del pensamiento de Gaos, tiene todas las virtudes de una interpretación ontológica que supera las anécdotas superficiales. Si se toma como punto de arranque de la descripción el hecho de un ser en el mundo, para que este des-cubra algo debe tener alguna conciencia de su pre-existencia. Es decir, la idea de "des-cubrimiento", aún el *casual* descubrimiento de Colón, "es el resultado final e ineludible de un desarrollo hermenéutico condicionado por la *previa* idea de que América es un *ente* investido desde siempre, para todos y en todo lugar de un ser predeterminado. . . una cosa en sí" (p. 11). O'Gorman, en una de las más bellas páginas del pensamiento latinoamericano va mostrando, inteligente y eruditamente, cómo, en realidad, desde el *mundo* (en el sentido ontológico existencial heideggeriano) de Colón o Américo Vespucio, las cosas acontecieron. El "ser americano" va *apareciendo* en el antedicho mundo concreto desde el "ser asiático"de las islas y tierras encontradas en el Mar Océano. En realidad Colón nunca sobrepasó el horizonte del "ser asiático" de las tierras encontradas —y por lo tanto, para O'Gorman ni siquiera descubrió América en el sentido tradicional de la palabra—. Pero aún cuando se conoció el "ser americano" de las tierras halladas, aproximadamente en 1507 y gracias a la *Cosmographiae Introductio* y otras obras de ese año, tampoco ese acto fue un descubrimiento:

> Cuando se dice que América fue descubierta tenemos un modo de explicar la aparición. . . de un ente —escri-

be O'Gorman— *ya* constituido en el ser americano; pero cuando afirmamos que América fue inventada, se trata de una manera de explicar a un *ente* cuyo ser depende del modo en que surge *en el ámbito* de aquella cultura (occidental). . . El ser de América es un suceso dependiente de la forma de su aparición. . . como resultado de un acontecimiento que, al acontecer, constituye el ser de un *ente* (p. 91). De esta manera, la cultura occidental tiene la capacidad creadora de dotar con su propio ser a un ente que ella misma concibe como distinto y ajeno (p. 97).

Esta visión, en cierta manera creadora *ex nihilo* del ser o del sentido del ente, habría adoptado una posición extrema que el mismo Heidegger no hubiera aceptado.

EL DESCUBRIMIENTO DE AMÉRICA (FENOMENOLOGÍA TODAVÍA EUROPEA)

En efecto, para Heidegger, el dotar de sentido al objeto (como para Husserl en este punto, y para evitar un idealismo absoluto) significa un encuentro de dos momentos:

> Ser verdadero quiere decir ser descubridor.[2] Con el estado de descubiertos se muestran los entes justamente como entes que ya *antes* eran. . . Semejante comprender entes en las relaciones que tienen bajo el punto de vista del ser sólo es posible sobre la base del estado-de-abierto, es decir, del ser descubridor del ser-ahí.[3]

Es decir, constituir el sentido del "ser americano" de lo encontrado por Colón evidentemente no consiste en incluir en el mundo de Colón lo ya-ser-americano. Por cuanto el "ser americano" de lo encontrado es el haber sido investido ya de sentido. Pienso que O'Gorman confunde entre el "ser americano" como cosa en sí previa, y esto como supuesto del descubrimiento (es decir, des-cubrir sería conocer lo oculto *ya* con sentido), a "lo encontrado" como cosa en sí previa, ente que aparece, todavía sin sentido, y que cobra sentido en el mundo de Colón (y desde el horizonte de dicho mundo ya dado) como "ser americano". Pienso que para Heidegger hay realmente "des-cubrimiento" de América y no "invención". "Invención" o el "ser en bruto" de Alberto Caturelli habría si el ente que aparece no trajera consigo ninguna realidad, consistencia, resistencia. En este caso no sólo habría constitución de sentido sino "llenamiento" (llenarlo) de realidad. Sería algo así como un idealismo absoluto.

Pienso que lo que tan admirablemente describe O'Gorman, como pasaje de sentido de un ente del "ser asiático" al "ser americano", es estrictamente "des-cubrimiento". Se constituyó el sentido europeo del ente encontrado: lo encontrado ya real no estaba en el mundo (pero era real); entró en el mundo europeo pero con consistencia propia. Esta realidad resistente, el ente, fue interpretado desde la totalidad de sentido europea. No fue inventado sino des- (el acto de dar sentido) -ocultado (lo real encontrado). Pero, como es evidente por lo que seguirá, no es esta la cuestión fundamental. Lo fundamental es que O'Gorman cae en las limitaciones del propio Heidegger.

LA INTRUSIÓN EXTRAÑA (VUELCO COPERNICANO A LA SUBJETIVIDAD NUESTRA)

La limitación metafísica de la ontología heideggeriana consiste en que, aunque habla del "ser-con",[4] siempre parte del sí-mismo, del *Dasein* (ser-ahí) como centro del mundo. Por ello la interpretación de la "invención de América" toma, en primer lugar, a Colón y al ser-ahí europeo como centro del mundo. Y, en segundo lugar, a lo encontrado en el Mar Océano como un *ente*. Esto es exacto en la historia, y en la realidad de los hechos. En efecto, el hombre europeo consideró a lo encontrado como un ente, una cosa. No lo respetó como "el Otro", como otro mundo, como el *más-allá* de toda constitución de sentido posible des de el mundo colombino. Planteó por ello, magistralmente

O'Gorman el comienzo de un discurso, pero no continuó su despliegue.

Si con la misma fenomenología heideggeriana nos situamos ahora desde el *ser-ahí habitante* de este continente, el hombre que mora en este espacio nuestro, la descripción no sería simplemente la inversión de la anterior, sino que consistiría en constituir de sentido *distinto* a lo que aparece en el horizonte de su mundo propio. Túpac Amaru, en el bando que se encontró en su bolsillo en el momento de su arresto, había escrito:

> Por eso, y por los clamores que con generalidad han llegado al Cielo, en el nombre de Dios todopoderoso, ordenamos y mandamos, que ninguna de las personas dichas, pague ni obedezca en cosa alguna a los ministros europeos *intrusos*.[5]

Del latín *intruo* (meterse violentamente al interior), *intrusión* significa penetrar a un mundo, el del otro, sin derecho, sin permiso, entrometerse. Para aquel gran rebelde inca los europeos eran en nuestro continente: "intrusos". Desde Europa, en posición extrema, se da la creación de América (invención); desde nuestro continente se da la "intrusión" en nuestro mundo *ya dado*, con su sentido propio, sus derechos, su dignidad. . . del otro.

Desde el *mundo* nuestro pre-hispánico el recién llegado desde el este, desde donde nace el sol, desde donde nacen las nuevas épocas y los dioses, irrumpió intruso, arrogante, agresivo, amenazante. Si el europeo llegaba a esta "cosa" *explotable* para encontrar riqueza (para vivirla en su retorno a Europa), para el originario morador de este espacio (no *nuevo* sino *propio*, y por ello hablar de *nuevo* mundo es ya europeismo) el *desconcierto* fue su posición existencial ante la *extrañeidad* de la intrusión divina. En el propio mundo del originario morador (que no era *indio* porque este es ya el falso nombre que se le puso en ese descubrimiento del "ser americano" desde el "ser asiático", porque indio es el nombre *asiático* del originario morador y por lo tanto falso) de estas tierras lo anormal, lo enorme (en cuanto que supera justamente la norma), lo extraordinario, era divino:

> En verdad infundían miedo cuando llegaron. Sus caras *extrañas*. Los señores los tomaron por dioses. . . Tunatiuh (el sanguinario Alvarado) durmió en la casa de Tzumpam.[6]

Extrañeidad de Moctezuma ante el intruso Cortés, ya que "consultando a los suyos —escribe José de Acosta—, dijeron todos que sin falta, era venido su antiguo y gran señor Quetzalcóatl, que había dicho volvería y que así venía de la parte del oriente".[7] El originario morador en lo propio no "des-cubría" ni "inventaba" al recién llegado. Lo admiraba en su intrusión y, de todas maneras, al igual que los europeos lo constituía en *su* sentido dentro de *su* mundo. Si para el europeo lo encontrado fue interpretado primero en su "ser asiático" y posteriormente en su "ser americano" como cuarta parte del mundo, para el originario morador el intruso era igualmente interpretado como dios que aparecía y, por ello, de inmediato se preguntaba: ¿para qué viene este ser divino? ¿Para pedir cuentas y castigar? ¿Para bendecirnos y enriquecernos? En el primer encuentro hubo expectativa. . . desconcierto. . . admiración. . . pero duró poco.

LA VISIÓN DE LOS VENCIDOS (LA SUBJETIVIDAD DERROTADA)

El *cara-a-cara* que desde Europa des-cubría y que desde nosotros expectaba al extraño intruso fue cuestión de horas, de días:

> Viendo el Almirante y los demás su simplicidad —nos dice Bartolomé—, todo con gran placer y gozo lo sufrían; parábanse a mirar los cristianos a los indios, no menos maravillados que los indios *dellos*, cuánta fuese su mansedumbre, simplicidad y confianza de gente que

nunca cognoscieron. . . parecía haberse restituido el estado de la inocencia, en que un poquito de tiempo, que se dice no haber pasado de seis horas, vivió nuestro padre Adán.[8]

Pero esto duró poco, como digo:

Luego que las conoscieron, como lobos e tigres y leones crudelísimos de muchos días hambrientos (se arrojaron sobre ellos). . . Y otra cosa no han hecho de cuarenta años a esta parte, hasta hoy, e hoy en este día lo hacen, sino despedazarlas, matarlas, angustiarlas, afligirlas, atormentarlas y destruirlas por las estrañas y nuevas y varias e nunca otras tales vistas ni leídas ni oídas maneras de crueldad.[9]

En efecto, el originario morador vivió desde su mundo de manera espantosa la intrusión de esos seres divinos:

El 11 Ahau Katun, primero que se cuenta, es el katun inicial, Paz-del-nacimiento-del-cielo, fue el asiento del katun en que llegaron los *extranjeros* de barbas rubicundas, los hijos del sol, los hombres de color claro. ¡Ay! ¡Entristezcámonos porque llegaron! Del oriente vinieron cuando llegaron a esta tierra los barbudos, los mensajeros de la señal de la divinidad, los extranjeros de la tierra. . . ¡Ay! ¡Entristezcámonos porque vinieron, porque llegaron los grandes amontonadores de piedras. . . los falsos ibteeles de la tierra que estallan fuego al extremo del brazo.[10] ¡Ay! ¡Muy pesada es la carga del katun en que acontecerá el cristianismo! Esto es lo que vendrá: poder de esclavizar, hombres esclavos han de hacerse, esclavitud que llegará aún a los Halach Uiniques, Jefes de los Tronos de los días.[11] Temblorosos, trémulos estarán los corazones de los Señores de los pueblos por las señales duras que trae este katun: imperio de guerra, época de guerra, palabra de guerra, comida de guerra, bebida de guerra, caminar de

> guerra, gobierno de guerra. Será el tiempo en que guerreen los viejos y las viejas; en que guerreen los niños y los valientes hombres; en que guerreen los jóvenes por los honrados Batabes, Los-del-hacha.[12]

La gloriosa conquista es un acto ético perverso en la historia de nuestro continente, porque fue el mal originario y la opresión estructural que la historia nos legará de maneras distintas hasta el presente. Los originarios moradores, entonces, tuvieron desde su mundo una percepción propia de este acontecimiento que sucede al descubrimiento. Descubrimiento-conquista desde el mundo opresor extraño intruso; desconcierto-intrusión-servidumbre desde nuestra subjetividad propia. Un mismo hecho, dos sentidos, dos efectos diferentes.

¿ENCUENTRO DE DOS MUNDOS?

Un "encuentro" es, exactamente, el cara-a-cara de dos personas como realización de un movimiento de ir hacia el otro en la libertad, el afecto, y esto mutuamente. Cada uno va hacia el otro sabiendo que el otro viene hacia uno, en el reconocimiento del otro como otro y en el respeto de su exterioridad digna.[13] Pero si el encuentro es desigual, en el sentido que uno va hacia el otro con la intención de constituirlo como "ente-explotable", ya no puede haber "encuentro" y hay que encontrar la palabra apropiada para el tal acontecimiento:

> Dios tuvo por bien elegirme —dice Bartolomé—. . . para procurar volver por aquellas universas gentes que llamamos Indias, poseedores de aquellos reinos y tierras, sobre los *agravios*, males y daños nunca otros tales vistos ni oídos, que de nosotros los españoles han recibido contra toda razón y justicia, y por reducirlos a su *libertad prístina* de que han sido despojados injustamente, y *por liberarlos* de la violenta muerte que todavía padecen.[14]

Para Bartolomé, entonces, aquello no fue un encuentro. Fue un choque, fue un "enfrentamiento" en su sentido antropológico y militar. "En-frentamiento": darse de frente, en la frente; pero también afrentar, humillar, *agraviar* —como escribe Bartolomé.

Cuando hay un "enfrentamiento" o un "encuentro" *desigual* se transita diacrónicamente por su suceder. En un primer momento hay, como hemos ya indicado, un cara-a-cara pero en donde, cada uno, tiene diversa posición, intención, pathos. Uno considera al otro como el "ente explotable" (poseedor de riqueza, de oro. . .) y actúa en consecuencia: lo inmoviliza, lo desarma, lo desapropia de sus "reinos, tierras", riquezas. No va en realidad al encuentro del otro como otro en su exterioridad sagrada; por el contrario va a las cosas del otro que tienen sentido en el propio mundo europeo, al inicio del mercantilismo y con avara necesidad del dinero originario —el padre del capital—. Esta "codicia" o deseo desmedido de la riqueza del otro (que se la envidia) imposibilita tener un "encuentro". Es un "enfrentamiento" posesor de lo ajeno: es robo, rapiña, disolución del mundo indio para poder ser subsumido en lo mismo: el mundo europeo, el de allá se le llama viejo, el de acá nuevo, en realidad el *mismo* —aunque contra la voluntad del conquistador se irá haciendo también otro—.

El originario morador desposeído deberá tributar trabajo primero o vender su trabajo por miserable dinero. De todas maneras su subjetividad, su corporalidad misma será la pobreza radical, la desnudez absoluta, la impotencia del vencido (pero no definitivamente derrotado).

Ese cara-a-cara entre el agresivo conquistador y la pobreza radical del desposeído ¿puede llamársele encuentro?, ¿no debería más bien denominársele "enfrentamiento" de dos mundos?

RESISTENCIA Y EMERGENCIA

Lentamente me ha ido pareciendo que desde la reflexión de lo que debería significar la conmemoración de aquel lejano

12 de octubre a fines del siglo XV desde estos fines del siglo XX, el morador originario de estas tierras se va transformando en el sujeto en torno al cual gira el asunto.

Desde España, como es obvio, ellos van releyendo y reestudiando su siglo XV. Así nos "des-cubrirán" o "inventarán" quizá de nuevo. Desde ellos de nuevo, desde afuera. Producirán en nosotros de nuevo la extrañeza intrusa.

Pero nosotros mismos, los hijos mestizos del conquistador y la india, de Cortés y Malinche, somos ya el procreado de aquel "en-frentamiento". Pareciera que la ausente en todo esto es la principal protagonista del acontecimiento conmemorativo. Nos dice el artista:

> Marina grita: Oh, sal ya, hijo mío, sal, sal, sal entre mis piernas. . . sal, hijo de la chingada. . . adorado hijo mío, sal ya. . . cae sobre la tierra que ya no es mía ni de tu padre, sino tuya. . . sal, hijo de las dos sangres enemigas. . . sal, mi hijo, a recobrar tu tierra maldita, fundada sobre el crimen permanente y los sueños fugitivos. . . ve si puedes recuperar tu tierra y tus sueños, hijo mío, blanco y moreno. . . Hay demasiados hombres blancos en el mando y todos quieren lo mismo: la sangre, el trabajo y —escribe Carlos Fuentes— el culo de los hombres oscurecidos. . . Contra todos deberás luchar y tu lucha será triste porque pelearás contra parte de tu propia sangre. . . (Sin embargo) tú eres mi única herencia, la herencia de Malintzin, la diosa, de Marina, la puta, de Malinche, la madre. . . Tú, mi hijo, serás mi triunfo; el triunfo de la mujer. . . Malinxochitl, diosa del alba. . . Tonantzin, Guadalupe, madre. . .[15]

Si nuestra madre, si la madre del mestizo, del latinoamericano es el mundo del originario morador, los aztecas, los mayas, los chibchas y los incas, los tarahumaras, los otomíes, los caribe, los arauaks, los araucanos o los diaguitas. . . la/los tenemos en el *olvido*:

> Vine a Comala porque me dijeron que acá vivía mi padre, un tal Pedro Páramo. *Mi madre* me lo dijo. . . Exígele lo nuestro. . . El *olvido* en que nos tuvo, mi hijo, cóbraselo caro.[16] Me vuelve a la mente, tras de largo *olvido*. . . debe estar guardada en alguna parte con el retrato de mi *madre*. . .[17]

La conmemoración es tiempo de recuerdo, de des-olvido, de historia para la acción.

Lo primero que no hay que olvidar es que los tales vencidos no fueron derrotados, perdieron la batalla de la conquista pero no la guerra de la historia. Los primitivos habitantes de estas tierras resistieron. La categoría de "resistencia" quiere indicar una manera de "estar" siendo, subsistiendo, en el silencio mimético del vencido a la espera. Sabemos sin embargo, que no hubo año ni en la colonia ni en el siglo XIX ó XX en que algún grupo o etnia de los originarios moradores no se haya rebelado. Las así llamadas "rebeliones indígenas" son un hecho olvidado y desde hace poco estudiado pero todavía no con la amplitud que se merece. Allí descubriríamos que vencidos, pero nunca derrotados, diezmados pero sobrevivientes, en todos los rincones de nuestro continente, en Argentina o Chile, en Brasil o en el Caribe, por no nombrar el área andina y la centroamericana mexicana, ellos perviven y es necesario no olvidar.

La "resistencia" de cinco siglos casi estuvo entonces siempre dialécticamente entrelazada con la "emergencia". "Emergían" en sus rebeliones, en su obstinación por seguir siendo distintos, sí mismo. Hoy en Guatemala, como en tiempos de Tupac Amaru, se rebelan nuevamente y otra vez más son masacrados por los mestizos y los blancos, sus hijos que tienen a su madre en el olvido.

Bartolomé escribía que él había sido llamado para "liberarlos de la violenta muerte que todavía padecen". Y esto podemos repetirlo también hoy ya cerca del medio milenio de la intrusión en estas tierras de los descubridores extraños. Todavía hoy padecen "violenta muerte". Pero han triunfado en un momento esencial de la existencia: viven, todavía viven, han *resistido*, ahora emergen y su emergencia liberadora es responsabilidad también de su hijo, del mestizo, del latinoamericano. Esto sí podría celebrarse, han sobrevivido para salir del olvido, para recuperar la memoria, para emerger del en-cubrimiento desde el tiempo del des-cubrimiento. Debería producirse así el des-en-cubrimiento del lugar en la historia y en la realidad actual de un pueblo ahora creciente de los originarios moradores de estas tierras.

El quinto centenario sería una oportunidad de ese desencubrimiento de su realidad pasada y presente, para vislumbrar el lugar que deben ocupar en la sociedad futura liberada.

DESAGRAVIO HISTÓRICO

Es por ello que desearía ir reflexionando con ustedes sobre un aspecto, solo un aspecto de los muchos en los que deberemos detenernos en estos años. Si Bartolomé se indigna de los muchos "agravios" que los des-cubridores conquistadores hicieron a los originarios moradores de estas tierras, es ya el tiempo del *desagravio*.

Agravio significa ofensa que se hace en la honra y fama de alguien contra su derecho. En realidad el des-cubrimiento y lo que le siguió no es sólo agravio, sino práctica opresión, servidumbre estructural, explotación de su trabajo, despojamiento de sus bienes, muerte de sus cuerpos, destrucción de sus dioses. . . Es mucho más que agravio, pero también fue esta ofensa, agravio, humillación, falta de respeto al otro en su dignidad.

Aquellos originarios moradores de este continente tienen hoy organizaciones propias, confederaciones, alianzas, pactos. Se reunen por países, por regiones, y aún tienen congresos y encuentros a nivel latinoamericano. Es verdad que casi siempre son los antropólogos, los delegados de instituciones estatales los que hablan por ellos. Sería necesario que en todo tipo de encuentros, en Europa y en nuestra América, se los tuviera presentes, se los invitara, se los escuchara. Es un deber histórico, es un olvido que hay que borrar.

Pero es más. Pienso que debería pensarse en algo significativo. Debería prepararse dignamente, al menos, un *desagravio histórico* al "indio americano" —y lo nombro por primera vez con estas palabras equívocas y puestas desde "afuera": falsas—. Pienso que el gran actor ausente de estos preparativos para la conmemoración de aquel 12 de octubre de 1492 es el *indio mismo*.

Desagravio significa, al menos y tan a trastiempo, reparar la ofensa hecha a otro, dando al humillado satisfacción cumplida, compensar el perjuicio causado. ¿Podemos hacer esto? ¿No es utópico? ¿Cómo desagraviar el mal irreparable que se les ha hecho y se les sigue haciendo?

Sería necesario no sólo realizar actos públicos por los que España y Portugal, y los Estados latinoamericanos nacidos como el hijo mestizo del padre europeo y la madre autóctona, reconocieran su culpa, sino que sería conveniente tomar mucho más en serio la sobrevivencia digna, cultural, racial, étnica del "indio americano". Es un problema ecológico, económico, político, religioso, claro está. ¿Porque no sería hipócrita estar reflexionando sobre el mal irreparable que se causó a estos originarios habitantes —del cual somos como he dicho metafóricamente "sus hijos", pero no somos ellos mismos— y ni siquiera intentar hacer algo por mejorar la situación de ellos en ocasión de conmemorar el tan fundacional acontecimiento?

Muchas veces se habla del "día de la raza". Y me pregunto: ¿De la humillada raza indígena o de la intrusa raza blanca europea? ¿Qué festejamos: el agravio a los nuestros o la agresividad de los que aquí llegaron? Este tipo de continuas contradicciones nos muestran que es necesario un cierto sentido ético para tener la valentía de querer conmemorar algo.

Propongo, entonces, como un acto central, un *desagravio histórico* al "indio americano", pero en la persona de sus mismos representantes, no por intermediarios. Esto significaría comenzar a integrarlos sistemáticamente en todas las comisiones, encuentros, actos preparatorios, etc. De lo contrario, será sólo ocasión para reivindicar la gloria de los que causaron tales agravios.

Desde cumplir así con aquello de "exígele lo nuestro. . . el *olvido* en que nos tuvo". Deseo recordar a mi madre, amerindia, porque "somos su única herencia". Y ¿si nosotros no la recordamos, quiénes la recordarán?

De todas maneras, el "indio americano" que resistió, sólo emergerá como sí mismo en la nueva sociedad, en las luchas de la "segunda emancipación", en el *proceso de liberación* que vive hoy América Latina en crisis y sufrimiento. Con Mariátegui pensamos que la "cuestión indígena" está indisolublemente ligada al destino todo de América Latina. El *desagravio histórico* querría así ser un signo, una señal en el camino, para que el indio sea libre en una América Latina liberada.

NOTAS

1 FCE, México, 1957.

2 *Sein und Zeit*, § 44,b (ed. Gaos, FCE, México, 1968, p. 240; Max Niemeyer, Tuebingen, 1963, p. 219).

3 *Ibid.*, c (pp. 248-249; pp. 227-228).

4 *Ibid.*, § 26. Véase mi obra *Para una ética de la liberación latinoamericana*, § 13-15 (2da. ed. Edicol, México, 1977, t. I, pp. 98ss.).

5 B. Lewis, *La rebelión de Túpac Amaru*, Sela, Buenos Aires, 1967, p. 421.

6 *Memorial de Sololá, Anales de los Cakchiqueles*, II, 148; FCE, México, 1950, p. 126.

7 *Historia Natural*, VII, cap. XVI; BAE Madrid, 1954, p. 277.

8 *Historia de las Indias*, I, cap. 40; BAE Madrid, t. I, 1957, p. 142.

9 Bartolomé de las Casas, *Brevísima relación de la destrucción,* en *Obras*, Ibid., t.V., p. 137.

10 *El libro de los libros de Chilam Balam*, II, 11 Ahuau; FCE, México, 1948, pp. 124-125.

11 *Ibid.*, p. 126.

12 *Ibid.*, p. 137.

13 Cfr. Michael Theunissen, *Der Andere*, Gruyter, Berlin, 1965, el concepto de "encuentro" (*Begegnung*) en pp. 259ss.

[14] *Testamento* (1564), en *Obras*, Ibid., t.V., p. 539.
[15] "Todos los gatos son pardos" en *Los reinos originarios*, Barral, Barcelona, 1971, pp. 114-116.
[16] Juan Rulfo, *Pedro Páramo*, FCE, México, 1971, p. 7.
[17] Alejo Carpentier, *Los pasos perdidos*, Orbe, Santiago, 1969, pp. 35-36.

AMÉRICA, DESCUBRIMIENTOS, DIÁLOGOS

ROBERTO FERNÁNDEZ RETAMAR

Madrid, París, Venecia, Florencia, Roma, Nápoles, y Atenas fueron descubiertas en 1955 por mí (que en 1947 ya había descubierto Nueva York), y en 1956 descubrí también Londres, Amberes y Bruselas. Sin embargo, fuera de unos pocos de mis poemas y cartas, no he encontrado ningún otro texto en que se hable de tan interesantes descubrimientos. Supongo que ha pesado a favor de este silencio clamoroso el hecho de que cuando llegué por primera vez a esas ilustres ciudades ya había bastante gente en ellas. Un razonamiento similar me ha impedido siempre aceptar que la llegada, hará pronto cinco siglos, de unos cuantos europeos al continente en que nací y vivo sea llamada pomposamente "Descubrimiento de América". Tanto más cuanto que al ocurrir esa llegada (accidental), las dos ciudades más pobladas que había entonces en el planeta, dijo el poeta mexicano Carlos Pellicer, eran Tenochtitlán (hoy México, D.F.) y Pekín (hoy Beijing). Según lo que sé, ninguna de las dos estaba ni está en Europa.

Aquella llegada carece de sentido tomada aisladamente. Su sentido se revela cuando la insertamos en el seno de lo que se ha llamado la expansión europea del siglo XIII al siglo XV. Sólo entonces entendemos que se trata de un capítulo, ciertamente muy importante, de esa expansión que precedió y acompañó al nacimiento del capitalismo en el mundo.

El único verdadero descubrimiento de este continente fue hecho por los hombres que hace decenas de miles de años entraron en él provenientes de Asia. Tampoco es aceptable que hubiera dos descubrimientos: uno hecho por ellos, y otro por los vikingos o, lo que es más frecuente escuchar por Colón y los suyos. Ni los vikingos ni Colón, por cierto, tuvieron conciencia de haber llegado al continente que iba a ser llamado América. Parece que esa conciencia le corresponde a Vespucio, quien, voluntaria o involuntariamente, dio su nombre a lo que también iba a ser llamado "Nuevo Mundo". En todo caso, como es bien sabido, lo verdaderamente relevante fue la inmensa trascendencia que el viaje de 1492 iba a tener para la humanidad toda. Pero decir, como todavía repiten algunos, que se trató de la llegada de la civilización, es un disparate, cuando no una desvergüenza. A no ser que se diga a la luz de las terribles palabras de José Martí cuando en 1877 habló de aquel hecho como del arribo de una "civilización devastadora: dos palabras que siendo un antagonismo, constituyen un proceso". Las grandes culturas maya, azteca e inca, y las otras en vías de desarrollo que había en el continente fueron, en efecto, salvajemente devastadas como consecuencia de aquella llegada. Y muchísimos aborígenes, como los que habitaban mi país, Cuba, fueron extinguidos. Por lo que es una cruel manifestación de humor negro decir que la llegada de los españoles y la ulterior conquista significó para ellos, que no quedaron ni dejaron descendientes para contarlo, el arribo de la civilización.

Lo que tampoco podemos negar es que de resultas de aquellos hechos brutales, y de las luchas que viejos y nuevos oprimidos iban a sostener en estas tierras, brotaría en ellos lo que Bolívar, en uno de sus muchos rasgos geniales, llamaría "un pequeño género humano", es decir, otro avatar de la humanidad. Y sólo a partir de 1492 se hizo posible una historia única del hombre. Por eso ha podido escribir Armando Hart que lo que entonces se descubrió no fue América, sino el mundo. Para decirlo con el clásico término griego de las tragedias, se trató de una *anagnórisis*: el hombre se reveló a sí mismo.

No voy a ocuparme ahora de ese vasto tema en general, sino sólo del diálogo que entonces comenzó entre los que estamos de un lado y otro del Atlántico y específicamente entre Europa y la América Latina y el Caribe.

Quizás lo primero que haya que hacer sea poner en tela de juicio la existencia monolítica tanto de "Europa" como de "la América Latina". ¿Existe una Europa homogénea, sin fisuras, en relación con la cual podamos manifestarnos a favor o en contra? Es evidente que esta pregunta sólo puede responderse negativamente. En Europa no solamente hay naciones diversas, sino que con frecuencia esas naciones difieren muchísimo entre sí. En Europa hay una vasta diversidad cultural, que revela sustratos históricos anteriores. Para el agudo dominicano Pedro Henríquez Ureña, por ejemplo, la zona de Europa que ha tenido mayor influencia sobre Hispanoamérica (que es la mayor parte de nuestra América y que para él incluía también al Brasil) es la Romania, a la cual hay que atribuirle hechos como la primera llegada con consecuencias de los europeos a estas tierras (el mal llamado "Descubrimiento"), el Renacimiento, la Revolución Francesa. En la Europa actual, además, hay países capitalistas y países socialistas. En Europa, por supuesto, hay y ha habido clases y luchas de clases. Este punto esencial ¿puede pasar inadvertido? ¿Alguien puede opinar, digamos, sobre "lo alemán" prescindiendo de las diferencias abismales entre Carlos Marx y Adolfo Hitler?

Para complicar aún más las cosas, ¿qué podemos decir que somos nosotros, los latinoamericanos y caribeños? Ya es claro para casi todo el mundo que no somos europeos. Pero también es claro que tampoco somos una unidad monolítica. No me canso de citar la división propuesta por el antropólogo brasileño Darcy Ribeiro según la cual hay en nuestra América tres zonas: la de los pueblos que él llama "trasplantados" (como la Argentina y Uruguay), en que son ampliamente preponderantes las etnias de origen europeo, habiéndose extinguido a las aborígenes y sumido en el torrente general a las africanas; la de los pueblos que él llama "testimonios" (como México, Guatemala, el Perú, Ecuador o Bolivia): los países en que, quebrantadas sus magnas civilizaciones precolombinas por la bárbara irrupción europea, aún sobreviven millones de aborígenes a menudo difícilmente integrados a la cultura oficial (una cultura burguesa dependiente); y la de los pueblos "nuevos" (los de la cuenca del Caribe en general), en que el aborigen ha sido prácticamente exterminado, y comunidades europeas y africanas, venidas ambas de fuera, se han confundido en un mestizaje que ha dado lugar a algo nuevo, como lo proclama, por sólo mencionar un caso, su poderosa música. Esto, para no volver a mencionar, por evidentes, las actuales diferencias políticas y las intensas luchas de clase.

Esta diversidad latinoamericana y caribeña ¿querrá decir que no hay América Latina, que no hay algo que merezca este nombre? La verdad es que, con las reservas expuestas tanto para un caso como para otro, a pesar de la heterogeneidad europea, existe, sin embargo, una compleja unidad histórico-cultural llamada Europa; y a pesar de la heterogeneidad de nuestra América, también ésta existe como una compleja unidad histórico-cultural. Y aún más: en este último caso, salvo los enormes enclaves indígenas (que requieren una política de nacionalidades irrealizables dentro de los esquemas del capitalismo y de la que ya hay un ejemplo apreciable en Nicaragua), de nosotros puede decirse que somos, como propuso el sabio lituano-chileno Alejandro Lipschütz, "europoides". Esto quiere decir que nuestra cultura sincrética bien puede reclamar como propia, entre otras, la compleja herencia europea. Un cubano, un mexicano o un argentino cultos no sienten como cosa extraña ni la obra de Cervantes, ni la de Shakespeare, ni la de Bach, ni la de Tolstoi, ni la de Cézanne.

Después de todo, aunque los latinoamericanos solemos insistir tanto en el carácter sincrético de nuestra cultura (aludiendo a nuestra necesaria fusión de elementos culturales aborígenes, europeos, africanos, asiáticos), creo que también en este punto los europeos tienen no poco que decir y enseñar: la llamada "cultura occidental" es una de las realidades más sincréticas que hayan existido en el planeta. En ella se han dado cita ideas griegas, leyes romanas, creencias religiosas semitas, saberes orientales, costumbres germánicas. . . ¿a qué añadir más? Recuerdo que en enero de 1965, con motivo de un congreso de escritores latinoamericanos que se celebraba en Génova, paseando una noche con amigos como los peruanos José María Arguedas y Sebastián Salazar Bondy, y verificando los muchos cruces de vasos capilares de que es ejemplo esa ciudad, nos reíamos (una vez más) de la pretensión europea de contar con una cultura nacida de sí misma, ya con todas sus armas, como Palas Atenea de la cabeza de Zeus (de paso rindo aquí, con este lugar común, homenaje a mis amados griegos). Si no fuera porque ello complicaría demasiado las cosas, diría que también los europeos son "europoides", mientras que "el Europeo" no pasa de ser un arquetipo platónico más, que nunca ha hollado la pobre Tierra que habitamos.

Tampoco puede hablarse de influencia de "Europa" sobre la "América Latina" o viceversa si se olvida el hecho esencial, sobre el que he llamado la atención en algún trabajo, de que lo que iba a llamarse el mundo occidental y lo que iba a llamarse la América Latina aparecen casi simultáneamente, y estrechamente vinculados entre sí. Sin la llegada de los protoeuropeos (a los que he sugerido nombrar "paleoccidentales"); sin el saqueo de América, acompañado de la monstruosa rapiña que costó a África decenas de millones de sus hijos, no habría habido "acumulación originaria de capital", y en consecuencia no habría habido "mundo occidental": nombre este último que es una forma melodiosa de referirse a lo que en palabras menos espirituales se llama el capitalismo desarrollado, el cual, según la acertada expresión de Marx en *El capital*, nació chorreando sangre y lodo por todos sus poros. Debido a ello, la influencia (si así quiere decirse) de nuestra América sobre la Europa occidental es de tal modo decisiva, que se trata en verdad de una *conditio sine qua non*. La propia España, que no logró desarrollarse como país capitalista en plenitud (siendo al cabo sorbida su riqueza por otras naciones europeas), vivió en el orden cultural, a partir del siglo XVI, lo que suele llamarse el Siglo o los Siglos de Oro. Qué bella enumeración viene a la memoria: Garcilaso, San Juan de la Cruz, Góngora, Quevedo, Lope, Cervantes, Velázquez, El Greco, Calderón. . . y tantos brillantes nombres más. Bien:

¿pero se recuerda suficientemente que *el oro* de esos siglos era *el oro americano*, el oro que los aborígenes de este continente tuvieron que extraer, en condiciones espantosas, para entregar a sus amos europeos? ¿Acaso sin la llegada de los europeos a nuestras tierras existirían las hermosas obras que la cultura occidental ha engendrado? Aquí también hay que responder negativamente. Y una de las conclusiones de este hecho palmario es que nosotros, los latinoamericanos y caribeños, tenemos el pleno derecho de reclamar como nuestras esas obras por las que nuestros antepasados pagaron un precio tan alto. Decir que, a su vez, ellas nos "influyen" no es decir gran cosa. Aquella es también *nuestra* cultura.

La influencia de nuestra América sobre Europa es pues multisecular. Desde el florecimiento de utopías en el alborear de la sociedad europea burguesa, y los numerosos ritmos musicales (esa "bullanguera novedad venida de Indias" de que ha hablado Carpentier) que desde entonces empezaron a invadir a países europeos junto con el humo de nuestro tabaco, tenido al principio (y al final) como diabólico, este es un proceso ininterrumpido. Es verdad que una tenaz ignorancia eurocéntrica, y a menudo la triste y habitual prepotencia de toda metrópoli, entre otras razones, impidieron a los países de Europa, por ejemplo, beneficiarse hace un siglo del conocimiento de la obra de un hombre universal como José Martí. Sólo en años recientes comienza a alborear para esos países tal conocimiento. En estos años, también, la llamada "nueva novela latinoamericana" hace sentir su presencia en muchos países europeos. La razón de esto es sencilla: si bien Martí fue incuestionablemente superior a los escritores de la nueva novela latinoamericana (entre los cuales hay algunos magníficos), a aquél le tocó vivir una época en la cual nuestra América todavía no había comenzado a desempeñar un papel sobresaliente en la historia. Incluso en 1938 un poeta de la dimensión de César Vallejo murió prácticamente de hambre en París, sin que ninguno de sus libros hubiera sido traducido a otra lengua; sin que su nombre, el nombre del mayor poeta latinoamericano del siglo XX, hubiera trascendido más allá de unos cuantos círculos de enterados. Y es que tampoco en 1983 nuestra América ocupaba un lugar destacado en la historia mundial. Otro ha sido el escenario histórico con que se han visto beneficiados los autores de la nueva novela latinoamericana.

A partir de 1959, es decir, a partir del triunfo de la Revolución Cubana, nuestra América entró por la puerta grande de la historia. Lo que ocurriera en nuestras tierras iba a tener repercusión mundial. E incluso lo que, partiendo de ellas, llegaría a otros continentes. Si siglos atrás muchos de nuestros antepasados fueron traídos de África como esclavos en horrendos barcos negreros, en estos años descendientes de aquellos hombres cruzarían el Atlántico en sentido inverso, para ayudar a consolidar la libertad y la independencia de países africanos.

Fuera de sabios admirables como Alexander von Humboldt, ¿quiénes sabían en Europa, hasta hace unas cuantas décadas, qué era en realidad nuestra América, quiénes eran sus hombres relevantes? En cambio, hoy cualquier modesto lector de periódicos europeo está informado de que existe la América Latina: en particular, de que existen países como Cuba y Nicaragua; y últimamente, también, de que existe El Salvador. Es verdad que la información que ese lector, si es "occidental", suele recibir, está con frecuencia tergiversada. Por ejemplo, quizás se le diga que los Estados Unidos "perdieron" a Cuba y a Nicaragua, y no están dispuestos a "perder" a El Salvador. Sin embargo, no es frecuente leer en esa prensa, pongamos por caso, que Inglaterra "perdió" a los Estados Unidos. Sea como fuere, nuestra América es conocida hoy como nunca antes en Europa.

En una de sus penetrantes observaciones, Walter Benjamin dijo que jamás se da un documento de cultura sin que lo sea a la vez de barbarie. Bien lo sabemos en nuestra América. ¿Qué hemos recibido durante siglos de Europa? Tanto hechos de cultura como hechos de barbarie. Y en la perspectiva histórica no podemos olvidar su entrelazamiento: han sido como el anverso y el reverso de un cuchillo que penetrara en nuestras carnes. En estos momentos, en nuestros pueblos se lucha tenazmente por la liberación total: la que incluye también la liberación cultural. Pero esta última no implica *en forma alguna* cortarnos de la gran herencia cultural europea, que ya he dicho, y no me cansaré de repetir, que *también es nuestra*. ¿Qué sentido tendría, por ejemplo, postular el absurdo desconocimiento de las obras de Leonardo, Voltaire, Beethoven, Heine, Hugo, Dostoievski, Rimbaud, Wagner (ay), Einstein, Freud, Picasso, Shaw, Kafka, Joyce, Eisenstein, Brecht, Sartre: para no nombrar, por razones obvias, la magna obra fundadora de Marx y Engels? Sea cual fuere el destino de nuestra cultura, ella estará siempre alimentada por creaciones de esa naturaleza. Subrayo el término: *alimentada*. Y así como al comer churrascos y verduras, a similitud de lo que decía Marguerite Yourcenar, nuestro cuerpo no emite churrascos y verduras, sino músculos, pelos y uñas, así nuestra cultura, si ha de ser auténtica, si ha de ser genuina (y hace mucho tiempo que lo es), emitirá (como lo hace) obras distintas de aquéllas, pero no opuestas a ellas. Básteme recordar aquí creaciones como las que debemos, en la época colonial, al inca Garcilaso de la Vega, a Sor Juana Inés de la Cruz, al *Aleijadinho*; y en nuestro siglo, a la práctica y la teoría de la primera revolución socialista en el hemisferio, a la nueva poesía, el nuevo ensayo y la nueva novela de nuestra América, a la teoría de la dependencia o a la teología de la liberación. A nadie en sus cabales se le ocurrirá pensar que se trata de modestas producciones locales, puesto que son, en realidad, aportes nuestros a la humanidad en su conjunto.

Si el viejo verso pitagórico afirmaba que "un mismo ritmo mueve las almas y las estrellas", ¿por qué no ha de movernos a europeos y a americanos (y también a asiáticos y a africanos y a todos los hombres y mujeres) un mismo ritmo, una misma esperanza? ¿No se trata, para la humanidad entera, de empezar a despedirnos de la prehistoria, de poder decir a coro, con el gran florentino: "incipit vita nova"?

PENSAMIENTO FILOSÓFICO E IDENTIDAD CULTURAL LATINOAMERICANA*

PABLO GUADARRAMA GONZÁLEZ

El problema de la identidad cultural en el pensamiento filosófico latinoamericano, si bien parece ser en ocasiones de reciente atención, tiene en verdad sus antecedentes muy marcados, aunque por supuesto bajo diferentes denominaciones, mucho antes de que podamos hablar propiamente de Filosofía latinoamericana. Sin embargo, este hecho no debe conllevar a que se ignoren las reflexiones que sobre el tema atesora el pensamiento de esta región, siempre preocupado por la inserción de la especificidad de lo regional o continental en el ámbito de la cultura universal.

Ya en los primeros cronistas españoles que se trasladaron a América y fueron asimilados por el "nuevo mundo" aparecieron frecuentes reconocimientos sobre la riqueza de las culturas indígenas, que habían sido aplastadas por la conquista. Tanto Bartolomé de las Casas como otros sacerdotes defensores de la condición humana en la población autóctona revelaron el carácter avanzado de muchas de las actividades e instituciones de aquellos pueblos, especialmente de los aztecas e incas. Incluso algunos como el jesuita José de Acosta, que se estableció en el Perú en el siglo XVI, llegaron a sostener que estos pueblos eran dignos de admiración en muchas cosas[1] y podían aventajar a los europeos. No en balde algunos escritores del viejo continente entre los que sobresalen los utopistas se inspiraron en América para sus idealizaciones reorganizativas de la sociedad.

* Este trabajo forma parte del segundo capítulo del libro *Lo universal y lo específico en la cultura*, escrito por el autor en colaboración con el profesor soviético Nikolai Pereliguin, en proceso de edición.

En el pensamiento humanista que se consolida en América durante el siglo XVIII, en consonancia con la incorporación al espíritu moderno, y como expresión temprana de nuestra ilustración, se intensificaron los estudios por las cuestiones de la cultura autóctona como expresión del necesario proceso de emancipación mental que precedió al movimiento independentista.

En México se acentuó este movimiento de recuperación cultural y así quedó plasmado en innumerables obras, entre las que se destacan: *Historia antigua de México*, de Francisco Javier Clavijero, la *Vida de mexicanos ilustres* de Juan Luis Maneiro. Esta época quedó caracterizada como "el siglo de oro mexicano",[2] en el que el pensamiento ilustrado y humanista tendría prestigiosos representantes. Entre ellos, por sus análisis filosóficos en relación a la cultura, se destacó Pedro José Márquez, quien sostenía que el verdadero filósofo

> es cosmopolita (o sea, ciudadano del mundo), tiene por compatriota a todos los hombres y sabe que cualquier lengua, por exótica que parezca, puede en virtud de la cultura ser tan sabia como la griega, que cualquier pueblo por medio de la educación puede llegar a ser tan culto como el cree serlo en mayor grado. Con respecto a la cultura, la verdadera filosofía no reconoce incapacidad en hombre alguno, o porque haya nacido blanco o negro, o porque haya sido educado en los polos o en la zona tórrida. Dada la conveniente instrucción, enseña la filosofía, en todo clima el hombre es capaz de todo.[3]

Resalta en las ideas de este sacerdote mexicano la confianza en las posibilidades humanas a través de la educación para eliminar los posibles obstáculos que condiciones secundarias podrían anteponer. Sus ideas constituían un abierto enfrentamiento al racismo y al determinismo geográfico, a la par que dejaba esclarecido en qué medida cada hombre desde su circunstancia particular podría contribuir a la cultura universal.

De tal forma estos humanistas latinoamericanos iban creando las bases teóricas de la exigida emancipación política que se avecinaba. Un ideal arraigado en los próceres de la independencia fue extender la cultura a todo el pueblo y con ese fin utilizaron sistemáticamente la prensa periódica.[4]

La espada libertadora de los guías de la independencia latinoamericana no sólo estuvo empuñada por la fortaleza de la decisión tomada, sino por la profunda meditación sobre la historia, las condiciones y las perspectivas de los pueblos del continente. Bolívar consideraba que "nosotros somos un pequeño género humano; poseemos un mundo aparte, cercado por dilatados mares, nuevo en casi todas las artes y las ciencias aunque en cierto modo viejo en los usos de la sociedad civil".[5] El libertador confiaba que la futura América, una vez derrotado el poder colonial, se convertiría en un favorable asilo que acogería las ciencias y las artes provenientes del oriente y de Europa para impulsarlas con el aliento de la cultura latinoamericana.

Tal preocupación estuvo presente también en Andrés Bello, quien con su erudición científica y originalidad filosófica podía considerarse al nivel más alto del pensamiento latinoamericano de la época. El ilustre venezolano propugnó la autonomía cultural de las repúblicas hispanoamericanas como una exigencia de naturalización de las constituciones, leyes, instituciones, etc., acorde con las condiciones y características de los pueblos de esta región que entraban en la vida política independiente.[6]

En tanto, en aquellos casos como el de Cuba, en el que el dominio español se mantenía y trataba de resarcir en algo las grandes pérdidas en el continente, la lucha por enarbolar los valores de la cultura vernácula tendría mayor significación aún.

Durante el primer tercio del siglo XIX, que Varona denominaría "verdadero crepúsculo de la historia de nuestra cultura",[7] el pensamiento filosófico cubano se elevó a un plano a tono con las exigencias de la época, de lo que se desprende su autenticidad. Pero no serían sólo cultivadores de la filosofía, como Varela o Luz y Caballero, los que pensarían sobre los problemas de la universalidad de la cultura y sus manifestaciones en el ámbito del país, sino intelectuales de las más diversas ocupaciones como Arango y Parreño, José Antonio Saco, los que aportarían valiosas ideas desde diversos campos del saber o del arte al proceso de formación de la conciencia nacional cubana.

Punto culminante de este pensamiento que devino en acción revolucionaria es la obra de José Martí. Sus ideas sobre la cultura latinoamericana han dejado su impronta sobre varias generaciones posteriores no sólo de cubanos. En especial su artículo "nuestra América", en el que insistía en la urgencia de conocer la cultura de los pueblos latinoamericanos y la realidad de sus países para poder gobernar mejor y librarlos de tiranías. "La universidad europea —sostenía Martí— ha de ceder a la universidad americana. La historia de América, de los incas acá, ha de enseñarse al dedillo, aunque no se enseñe la de los arcontes de Grecia. Nuestra Grecia es preferible a la Grecia que no es nuestra. Nos es más necesaria."[8] Su énfasis en el estudio del mundo latinoamericano no implicaba ningún tipo de desdén por la cultura de otros pueblos. Simplemente aspiraba ante todo a que esta enseñanza se revirtiera en una mejor forma de orientar el progreso en estas tierras y además que se reconociera el lugar de la cultura en el concierto de la universalidad, al igual que la proveniente de Europa o de otras latitudes.

La idea de revalorizar la actitud de los latinoamericanos respecto a la cultura universal y en especial de reconsiderar la cultura filosófica había sido plasmada desde mediados del siglo pasado por Juan Bautista Alberdi, para quien: "No hay, pues, una filosofía universal, porque no hay una solución universal de las cuestiones que la constituyen en el fondo. Cada país, cada época, cada filósofo ha tenido su filosofía peculiar que ha cundido más o menos, que ha durado más o menos, porque cada país, cada época y cada escuela han dado soluciones distintas a los problemas del espíritu humano".[9] De ahí que el pensador argentino insistiera en crear una filosofía latinoamericana que se ocupara de los problemas de este continente sin renunciar, por supuesto, a lo que el pensamiento hubiera elaborado ya en cualquier parte. No obstante, lo importante era para él que se correspondiese con las necesidades, esencialmente sociales y políticas que demandaban los pueblos latinoamericanos.

Se debe tener en consideración que ese afán por volver la mirada hacia adentro, por hacer de la filosofía un instrumento para ponerlo en función de lo peculiar latinoamericano, no fue compartido por todos los miembros de aquella generación de pensadores argentinos que confluyeron con el positivismo. Entre aquellos pensadores estaba Domingo Faustino Sarmiento, quien al cuestionarse por el sello especial que debía tener la literatura, las instituciones y en general la cultura latinoamericana, propugnaba un cosmopolitismo que diluía en un universalismo abstracto sus ideas sobre el mundo espiritual latinoamericano, dado que su mayor interés estaba en la transformación material de aquella sociedad. Tal utilitarismo atentaba contra el reconocimiento de la identidad, la especificidad y los valores de la cultura latinoamericana.

A Sarmiento no le interesaba la procedencia de las ideas si estas habían pasado a formar parte del aparato conceptual o estético del hombre de estas tierras, por eso planteaba:

> El espíritu con esta preparación conserva las dotes naturales sin adquirir las curvaturas que le imprimen las particularidades locales y adquiriendo, por el contorno, el tono del pensamiento universal de su época, que no es francés ni inglés, ni americano del Sur o del Norte sino humano. Así es un instrumento apto para examinar toda clase de hechos, y encontrar la relación de causa o efecto, importa poco que se produzcan de este o del otro lado de los Andes, a las márgenes del Sena, del Plata o del Hudson.[10]

No cabe duda de que Sarmiento aspiraba con tal posición a acentuar la validez universal de las ideas, que independientemente de cualquier circunstancia debe corresponderse con la realidad sin embargo, con esto, en cierto modo, soslayaba la historicidad y la concreción necesaria que debe poseer todo pensamiento que pretenda captar acertadamente la realidad circundante, la cual no se manifiesta jamás de forma idéntica a la que se da en otras partes.

Tales criterios llevaron a Sarmiento a renunciar y encontrar en la "barbarie" de la cultura latinoamericana algún sostén aconsejable para apoyar su proyecto de "civilización". Recomendaba imitar la cultura anglosajona y en especial la norteamericana. Actitud esta que encontró reprobación no sólo en Martí, sino también en el uruguayo José Enrique Rodó, quien criticó tal "nordomanía" y antepuso el espíritu arielista al utilitarismo positivista al considerar que "la civilización de un pueblo adquiere su carácter, no de las manifestaciones de su prosperidad o de su grandeza material, sino de las superiores maneras de pensar y de sentir que dentro de ellas son posibles".[11] Ese mismo idealismo imbuiría a toda la generación de pensadores que en contraposición a los xenófilos positivistas se darían a la tarea de demostrar la vitalidad y el carácter propio y novedoso del mundo cultural latinoamericano.

En tal sentido crítico se reveló el chileno Francisco Bilbao al considerar a la cultura europea como dominadora y pragmática. Por eso sostenía:

> El viejo mundo ha proclamado la civilización de la riqueza, de lo útil, del confort, de la fuerza, del éxito del materialismo. Esa es la civilización que rechazamos. Ese es el enemigo que tememos penetre en los espíritus de América,[12] y más adelante puntualizaba: Hemos querido preservar el hombre americano de la contaminación del viejo mundo.[13]

Como puede apreciarse resulta muy diáfana la postura asumida por estos defensores de la singularidad de la cultura latinoamericana, quienes aspiraban a mantenerla con su identidad propia que la diferenciará de la europea y la norteamericana.

Este espíritu se fortalecería aún más con el advenimiento de esa nueva generación de filósofos de la oleada antipositivista y que buscaban en el irracionalismo un instrumento que les permitiera descubrir desde esa perspectiva teórica los tesoros subyacentes en el mundo latinoamericano. Este empeño, que no sólo se plasmó en el plano filosófico, sino en el literario, en el de las artes plásticas, en las investigaciones antropológicas, folklóricas, etc., constituyó una muestra de insatisfacción con el conocimiento que hasta el momento se poseía sobre la cultura latinoamericana.

En esa labor de reconsideración se destacó la obra de José Vasconcelos, quien aunque no compartió el criterio de la necesidad o la posibilidad de una filosofía latinoamericana, por cuanto, para él, la filosofía, por definición propia, debe abarcar "no una cultura, sino la universalidad de la cultura",[14] y de tal modo evadía cualquier regionalismo filosófico, no obstante quiso proyectar su pensamiento con aspiraciones de universalidad, pero desde una perspectiva latinoamericana.

Independientemente de las derivaciones reaccionarias que se revelaron finalmente en el ideario y la actitud del destacado intelectual mexicano, es preciso reconocer que en su 'monismo estético' se aprecia un intento por elaborar un sistema teórico, que por su universalidad y su vuelo metafísico pudiera situarse a la par de cualquier otra doctrina filosófica europea, pero conformado a su vez a tono con sus raíces latinoamericanas. Sus anhelos de alcanzar una raza cósmica en la que confluyeran todos los pueblos del orbe con los de sudamérica, a fin de que el espíritu universal se expresase a través de "nuestra raza", no era más que una fórmula muy inteligente para tratar de evadir simultáneamente el universalismo abstracto de Sarmiento y el particularismo unilateral de Alberdi, posiciones estas que encontrarían seguidores en el pensamiento latinoamericano del siglo XX.

Vasconcelos pretendió hacer confluir ambos momentos

en una filosofía que sin renunciar a mirar hacia la universalidad tuviese sus pies en el suelo latinoamericano y se revistiera en él. Para el pensador mexicano la cultura india, que fue fuente nutritiva vital de la cultura latinoamericana, jamás podría recuperar su identidad anterior aislándose de las influencias culturales. Según su opinión: "ninguna raza vuelve; cada una plantea su misión, la cumple y se va. . . Los días de los blancos puros, los vencedores de hoy, están contados como lo estuvieron los de sus antecesores. Al cumplir su destino de maquinizar al mundo, ellos mismos han puesto sin saberlo las bases de un periodo nuevo, el periodo de la fusión y la mezcla de todos los pueblos. El indio no tiene otra puerta hacia el porvenir que la cultura moderna, ni otro camino que el camino ya desbrozado de la civilización latina. También el blanco tendrá que deponer su orgullo y buscar progreso y redención posterior en el alma de sus hermanos de las otras razas y se perfeccionará en cada una de las variedades superiores de la especie".[15] Esto no significa para él renunciar a los valores que encierra la cultura india, sino recuperarlos, pero armonizados con los logros de la cultura moderna.

Para el filósofo mexicano la causa fundamental de la debilidad de la cultura iberoamericana frente a la cultura sajona radicaba en la falta de unidad, que había hecho fuerte a otros pueblos. Criticaba que el acendrado nacionalismo haya dado por fruto la imposibilidad de presentar un frente común de ideas. La carencia de un pensamiento creador y un excesivo afán crítico, que es también prestado de otras culturas, ha llevado a los pueblos del continente a la actual situación. De modo que para salir de aquel estado profetizaba la integración de todas las razas en una "raza cósmica" que las sintetizaría a todas y a la vez las haría desaparecer. La utópica propuesta Vasconceliana preñada por el idealismo a la larga conduciría a una disolución de todas las culturas y con esto llegaba prácticamente Vasconcelos a confluir con las ideas universalistas que había criticado anteriormente en los positivistas.

El tema de la cultura y en particular de la latinoamericana

siguió siendo objeto de reflexión obligada y sui generis en todo un grupo de intelectuales mexicanos que cultivaron el saber filosófico a la par de la actividad literaria junto a Vasconcelos, como fueron Antonio Caso, Alfonso Reyes, Samuel Ramos y posteriormente Leopoldo Zea, quienes por lo general abordaron el problema desde las posiciones del irracionalismo, el fideísmo, la fenomenología o el historicismo, pero también fue analizado desde la perspectiva marxista. En esta última posición se destacó Vicente Lombardo Toledano, quien desde sus polémicas con Caso en los años treinta, y posteriormente con frecuencia, abordó el problema dadas sus repercusiones no filosóficas, sino ideológicas y políticas.

El enfoque materialista dialéctico fue sostenido por Lombardo en 1973, cuando aseveraba que "la cultura es efecto y no causa, es expresión de un momento determinado; pero cuando merece el nombre de tal, es expresión de un momento creador para beneficio perpetuo de los hombres que han de venir".[16] De tal modo se enfrentaba al enfoque idealista tan manejado en su entorno filosófico que hipostasiaba la cultura espiritual y la ubicaba como agente exclusivo de los movimientos históricos.

La crítica marxista a las posiciones de Vasconcelos, Caso, etc.; así como el elitismo, el espiritualismo y el regionalismo cultural por aquellos años en el ámbito latinoamericano, no siempre estuvo acompañada de un sopesado razonamiento respecto a los valores de la cultura latinoamericana. Esto se apreció especialmente en Mariátegui, quien, no obstante considerar con razón que América debía constantemente abrirse a la cultura occidental sin renunciar a los valores autóctonos y de esa forma mantenerse en permanente vínculo orgánico con la universalidad, llegó a sostener erróneamente que "es absurdo y presuntuoso hablar de una cultura propia y genuinamente americana en germinación, en elaboración",[17] y a la vez consideraba que no existía propiamente un pensamiento latinoamericano, pues, según él, "la producción intelectual del continente carece de rasgos propios".[18] Tales desaciertos producidos por el interés de subrayar el carácter universal de la cultura y de rebatir algunas formas de chauvinismo cultural traerían consecuencias desfavorables en lo que respecta a la consideración del valor de los análisis marxistas sobre la especificidad de lo latinoamericano.

Por fortuna la mayoría de los marxistas no compartieron tal enfoque y por el contrario trataron de justipreciar en mayor medida la significación de lo autóctono, de lo indígena, de lo criollo, etc., —elementos estos, sin embargo, que habían estado muy presentes en los análisis socio-económicos y políticos del gran marxista peruano para la cultura latinoamericana y sus aportes a la cultura universal. Así, Diego Rivera supo incorporar a su pintura los resultados del arte mundial, independientemente del lugar de origen, y a la vez al situar como eje de su creación el mundo, la historia, el hombre latinoamericano. De tal modo les otorgaba a éstos también el digno lugar de la universalidad que les correspondía. En sus reflexiones estéticas desde la perspectiva marxista,[19] supo el gran muralista mexicano superar los escollos que podía anteponer lo mismo una concepción europeizante que una visión latinoamericanística cerrada de la cultura.

El pensamiento marxista latinoamericano no abandonaría jamás el tema de la cultura como uno de los ejes principales alrededor de los cuales giraban todos los cuestionamientos de mayor urgencia. Aníbal Ponce se detuvo en el justo reconocimiento de la herencia cultural burguesa que había producido un humanismo que debía ser suplantado por uno más concreto y real. El intelectual argentino supo denunciar que "cuando a la cultura se le disfruta como un privilegio, la cultura envilece tanto como el oro",[20] por eso vio en la nueva cultura que nacía en la URSS el alumbramiento de una cultura más plena y verdaderamente humana. Estos criterios serían compartidos por su entrañable amigo Juan Marinello, quien convertiría también el estudio de la cultura en una de las tareas a atender cuidadosamente por los marxistas cubanos. En 1932 escribiendo sobre lo que llamó "cubanismo universal", analizó dialécticamente la correlación existente entre lo universal y lo singular en la cultura de los pueblos al señalar:

> . . .ninguna obra de grandeza permanente se ha producido sin el buceo limpio y cálido en la intimidad intransferible del hombre. Pero del hombre en un recodo de la tierra y en un día de la historia. Hasta ahora lo humano sólo ha podido mostrarse hiriendo muy en lo hondo un costado del mundo. . . Sólo la fisionomía que dan el instante y el lugar es posible tocar al hombre trascendente. El poder genial no es más, en última instancia, que la fuerza para reunir en un tipo egregio la intimidad presentánea de muchos hombres sin pérdida de la sangre patética de ninguno. Don Quijote es más real que Cervantes —como ha probado cumplidamente don Miguel de Unamuno— porque su españolidad se integra con las esencias determinantes de lo español en el día de su encarnación. Para lograr un puesto en la cancha difícil de lo universal no hay otra vía que la que nos lleva a nuestro cubanismo recóndito, que, por serlo, dará una vibración capaz de llegar al espectador lejano.[21]

Tales son las vibraciones que han producido las poesías de Guillén, los cuadros de Lam, el ballet de Alicia Alonso o las obras de Carpentier.

De tal modo paulatinamente el pensamiento cubano ha ido llegando, en relación con los valiosos logros intelectuales del pasado siglo, a niveles superiores de elaboración que le posibilitaron el enfoque dialéctico-materialista de la cultura. Ha ido apuntalando una concepción más integradora y a la vez diferenciadora de la autenticidad y la identidad cultural latinoamericana.

Una de las personalidades más significativas del pensamiento filosófico latinoamericano contemporáneo es el mexicano Leopoldo Zea, quien ha dedicado en su obra un interés especial a la problemática de la correlación entre lo peculiar y lo universal de la filosofía y la cultura latinoamericana.

En ocasiones parece ser que éste ha sido incluso el eje principal alrededor del cual ha girado toda su reflexión filosófica, aunque en verdad han sido los problemas del hombre, tanto del latinoamericano como de todos los hombres explotados del mundo, los que han impulsado su quehacer filosófico. De ahí que más que un filósofo de la cultura, como en ocasiones se le caracteriza, hay ante todo en Zea un humanista de los nuevos tiempos y uno de los pilares de la actual filosofía latinoamericana de la liberación, que ha evolucionado de manera muy significativa hacia posiciones cada vez más científicas y a la vez más progresistas en su casi medio siglo de filosofar en "nuestra América".[22]

Con motivo de la próxima conmemoración del medio milenio del encuentro entre la cultura europea y la americana, que ha motivado tantas discusiones incluso por la denominación del hecho histórico, Zea ha abordado con frecuencia el problema de lo peculiar y universal de la cultura latinoamericana. Especialmente en uno de sus últimos libros, *América como autodescubrimiento* (1986), toca la cuestión con especial énfasis. A su juicio, en lugar de un descubrimiento lo que se produjo fue un encubrimiento[23] de América ya que cuando los europeos *se tropezaron* casualmente con ella se dieron a la tarea de ocultar sus adelantos culturales para imponerles su dominio y justificar ante el mundo su misión "civilizadora". Los sacrificios humanos de los indígenas fueron esgrimidos como síntoma de bestialidad, pues al parecer no seguían la liturgia de las hogueras de la Inquisición.

En esa reciente obra, Zea por momentos nos confunde al repetir aparentemente algunos de los equívocos argumentos que parecía haber superado en sus trabajos tempranos, cuando insistía en la necesidad de romper con el pasado para realizar la construcción del futuro sobre la base de otros pueblos y no de la historia propia,[24] retomando a la vez el tema de la búsqueda de la originalidad y peculiaridad, como camino hacia la universalidad y hacia el reconocimiento de la independencia alcanzada. Según su criterio, la búsqueda de la originalidad le viene al hombre de esta región de su rechazo a la servidumbre que le fue impuesta. Ser original es a su juicio dejar de ser esclavo, siervo, dependiente.[25] Sin embargo, parece no percatarse del hecho de que al exacerbarse la cuestión de la originalidad en un momento determinado de la historia de los pueblos latinoamericanos, como en cualquier otro pueblo dominado, ello no significa que anteriormente no se poseyese la cualidad de la originalidad, aun cuando no se tuviese conciencia de ella.

El pensador mexicano recalca últimamente su rechazo al universalismo abstracto e insiste en el cultivo de lo peculiar como forma de incorporarse a lo universal, sin que la identidad de esta última se diluya en la de lo peculiar. Por eso insiste: "La más alta expresión de un universalismo que, para serlo, ha de ser original, sino por el contrario su posibilidad en solidaria realidad con otras peculiaridades, con otras expresiones de originalidad del hombre como ente concreto. No el ente universal y abstracto que no es ningún hombre en su concreción, sino en el ente que reconociéndose a sí mismo puede reconocer en las peculiaridades de otros hombres la justificación y la posibilidad de su propia peculiaridad".[26]

En un rejuego muy dialéctico Zea deja establecido el hecho real del necesario reconocimiento de lo que hay de universal en lo peculiar, cuando éste es auténtico y no resulta una simple copia.

En definitiva, Zea ha reconocido que por mucho que se copie de otras culturas, las nuevas comunidades humanas siempre le imprimen un sello de originalidad a cada creación material o espiritual. Y a través de esas pequeñas diferencias que llegan siempre a hacerse mayores van quedando plasmados los elementos peculiares que hacen que una cultura sea reconocida universalmente. De ahí que el filósofo mexicano no desea una cultura que resulta "tan peculiar y distinta que pareciese marginada de lo humano",[27] sino aquella que puede ser reconocida por cualquier hombre como suya también.

Como se ha podido apreciar, toda la obra filosófica de

Zea está dirigida a reivindicar el grado de universalidad y de identidad que encierra la cultura latinoamericana, como cualquiera otra de distintas regiones del mundo, y de ese modo refutar todo tipo de racismo, hegemonismo y centrismo cultural que afecta la visión genuinamente acertada de la cultura.

En este disímil movimiento denominado de la Filosofía de la Liberación —que abarca a todos aquellos que se identifiquen con la función liberadora que debe desempeñar la filosofía en América Latina como en cualquier parte del mundo, por lo que puede encontrar simpatizantes en otras latitudes—, se analiza de manera muy especial el tema de la universalidad y la especificidad de la cultura latinoamericana.

Al darse cuenta de que la filosofía burguesa tradicional no ha podido ofrecer el instrumento categorial preciso, ni las perspectivas de solución en la interpretación de la realidad cultural latinoamericana, pero especialmente para su transformación, muchos de los seguidores de este movimiento han encontrado en el Marxismo un sostén insustituible para adentrarse en tales reflexiones. Sin embargo, siempre pesan los resabios anticomunistas o las valederas críticas a algunas formas de dogmatismo o de sectarismo que se han dado en la historia del movimiento Comunista Internacional, que en ocasiones son utilizadas como inherentes al Marxismo.

Siempre ha sido una permanente preocupación de este movimiento revalorizar o justipreciar la cultura latinoamericana, y en especial la Filosofía. En tal sentido son elogiables muchos de sus análisis y argumentos que pueden contribuir al proceso desalienatorio del hombre latinoamericano. También resultan admirables sus muestras de simpatía con las clases sociales más explotadas, y los sectores marginados y discriminados en general. Sin embargo, en ocasiones éstas no rebasan los límites de la filantropía burguesa y no sugieren alternativas válidas que saquen al filósofo de la mera función interpretativa de la realidad.

Al acentuar la necesidad de reconocer y consolidar la identidad cultural latinoamericana, que está dada no sólo por el hecho de que los pueblos que la conforman tengan una historia muy común, sino que en la actualidad tienen también enemigos comunes, contribuyen al proceso de fortalecimiento de la unidad de las fuerzas progresivas de esta región. Las formas de rebeldía que propugnan frente a la penetración ideológica imperialista y las críticas a que someten toda forma de tergiversación cultural, sirven también al proceso de concientización que demanda la transformación de la realidad latinoamericana.

No caben dudas del elemento humanista que anima a la mayoría de los seguidores de la filosofía latinoamericana de la liberación, y que muchos de ellos utilizan la filosofía como un arma de denuncia que en algunos casos, a pesar de no trascender los límites de la simple declaración de ideas, por cuanto no siempre se vinculan a una práctica política activa, fortalece la propagación de concepciones muy avanzadas, especialmente en sectores estudiantiles universitarios. En aquellos países en los que la represión fascista ha impedido otras formas de divulgación de las injusticias sociales entre las masas populares, este movimiento ha podido mantener prendido el fuego de la inconformidad con las estructuras existentes en la intelectualidad progresista que se dedica a la filosofía. Muchas de sus inquietudes se han analizado a través de las discusiones como ésta de la especificidad y la universalidad de la cultura latinoamericana, y han permitido meditar sobre las insuficiencias de los enfoques reduccionistas o extrapolizantes al respecto, dejando sembrada la inquietud por la necesidad de un análisis mucho más dialéctico de tan controvertido problema.

Múltiples han sido las vías para tratar de encontrar la autenticidad y la identidad cultural latinoamericana desde las más diversas posiciones. En la misma medida que los pueblos latinoamericanos han ido tomando mayor conciencia de la necesidad de su emancipación en todos los órdenes, se han planteado con mayor exactitud este problema.

Si en un momento determinado se pensó que ser auténtico implicaba no imitar a los norteamericanos y los europeos, sino simplemente ser como ellos, hoy en día parece ser que se comprende no sólo la imposibilidad de copiar propiamente a dichas culturas, sino lo negativo que resulta asimilarlas indiscriminadamente sin tener en consideración lo asimilable y lo desechable.

Desde fines del siglo pasado, José Martí se percató de las consecuencias que podría traer una asimilación de tal naturaleza y llamó la atención sobre cuáles debían ser los parámetros básicos y los puntos de orientación de la cultura latinoamericana.

Martí apreció profundamente la dialéctica relación que existe entre el desarrollo cultural de los pueblos y su mayor o menor disfrute de la libertad, de ahí que proclamase que ser cultos era la forma para alcanzar aquella. Ahora bien, esto no significa que hiperbolizase la cultura libresca o académica, como es común encontrar en otros tantos pensadores, sino que, partiendo de un concepto mucho más amplio de cultura, que incluía la acción práctico-revolucionaria para transformar la realidad cubana y veía en la asimilación creadora de lo conquistado por otros pueblos uno de los caminos principales para que los hombres fuesen libres. Libres no sólo de los enigmas de la naturaleza, sino también de las imposiciones de otros hombres.

El hecho de tener en consideración permanente los antecedentes culturales de Latinoamérica para la constitución de una cultura superior, no ha constituido una simple consigna nostálgica ni mucho menos, sino una urgencia sociológica comprendida por todos aquellos que en diferentes momentos se han planteado engrandecer la cultura latinoamericana mediante su transformación revolucionaria, como en el caso de Martí o del auténtico marxismo latinoamericano, el de Mariátegui[28] o Ernesto Che Guevara.

No es menos cierto que en el pensamiento filosófico, económico y sociológico burgués latinoamericano de los últimos tiempos, ha habido intentos[29] justificados de presentar alternativas al desarrollo social de la región, que tomen en cuenta tales antecedentes, así como se mantiene la constante preocupación por encontrar modelos de desarrollo que evadan los ya emprendidos por los países más avanzados. Pero también es cierto que, por lo regular, tales búsquedas casi siempre van acompañadas de pretensiones "superadoras" tanto del capitalismo como también del socialismo.

La creciente penetración de las trasnacionales trajo como consecuencia que el "modelo cultural" de los países capitalistas desarrollados se fue imponiendo y deformando de tal forma las estructuras de los países latinoamericanos, que hacía irreversible determinados cambios. La "universalidad cultural" de aquellos obligaba a éstos a seguir el rumbo marcado, o de lo contrario renunciar a recibir las migajas de esa "cultura superior". Eso es lo que ha pretendido la administración Reagan al imponer el bloqueo a Nicaragua[30] como sanción ante el desaire de no querer imitarlos.

Una política similar es la que durante casi tres décadas se ha mantenido contra Cuba por los gobiernos norteamericanos. Nunca podrán perdonar que este pueblo se haya rebelado a la cultura del chiclet y la Coca Cola. Por esta razón se han armado grandes campañas por los ideólogos de la llamada "cubanología",[31] encaminadas a presentar la postura cubana como una traición a la cultura occidental, cuando en verdad lo que se ha dado en Cuba es una verdadera reapreciación de dicha cultura, de sus valores y sus límites, y a la par un descubrimiento de otros horizontes y tesoros culturales que anteriormente estaban escondidos tras la llamada "cortina de hierro"; así como los de los pueblos de África y Asia que se han liberado de las culturas impuestas por el neocolonialismo. En Cuba se ha dado un proceso en estos últimos años no simplemente de elevación del nivel cultural de la población, sino de captación de lo auténtico de otras tantas culturas similares a la nuestra, y por tanto de mejor intelección del contenido universal de la cultura mundial mediante un mejor conocimiento de las especificidades culturales de otros pueblos.

La penetración cultural imperialista, que fue tempranamente criticada por Martí, ha encontrado en la actualidad las formas más sutiles y emerge, poniendo en peligro la autenticidad y la identidad cultural latinoamericana, en cada momento, como sierpe dispuesta a engullir cualquier residuo aún no contaminado por la enajenación capitalista. Resulta extraordinariamente penoso apreciar cómo se prostituyen las más diversas formas de la cultura latinoamericana, tanto en su expresión material como en lo espiritual, pues siempre tratan de ser manejados pragmáticamente.

Muchos de los patrones de conducta y antivalores que exportan los medios de comunicación masiva como el cine, la radio, la televisión, los comics, etc., están dirigidos a estimular el ocio, la vida fácil, el éxito desmerecido; que al ser calcados por miles de jóvenes latinoamericanos se convierten también en "modelos" a seguir por quienes desean ser considerados a la moda y por tanto a la par como personas cultas. Tales hábitos no sólo se tratan también de inculcar en los países socialistas y se llegan a esgrimir como propios de toda sociedad que quiera considerarse culta. En verdad, para alcanzar la genuina cultura constructora de hombres nuevos hace falta emanciparse de estos valores de carga negativa y producir una real reestructuración de todos los valores, aunque no en el sentido nietzschano.

El proceso de autoconocimiento permite a cada pueblo no caer en comparaciones estériles con las culturas de otros pueblos, sino establecer provechosas analogías que posibilitan la comprensión de fenómenos comunes y la solución de dificultades de similar naturaleza. De tal modo también se expresa la mediación entre lo específico y lo universal de la cultura cuando se descubren las particularidades que subsisten en determinadas formas culturales como las de los pueblos latinoamericanos.

En el actual creciente proceso de internacionalización de la vida social, en que los pueblos se conocen cada vez mejor, resulta progresivamente más fácil percatarse de las similitudes y diferencias que subsisten en las culturas de las diferentes regiones. Incluso en un mismo país en ocasiones se aprecian una diversidad tan grande de manifestaciones culturales que podría poner siempre en tela de juicio el concepto de identidad cultural.

Si se parte de una concepción abstracta y ahistórica de la identidad por supuesto que jamás podrá encontrarse en lugar alguno. Este es uno de los argumentos más usados para tratar de desunir a los pueblos latinoamericanos en sus luchas. Pero sí tomando en consideración el carácter histórico concreto que siempre debe tener la misma, de ahí que habrá que concebir tal identidad en constante devenir. Entonces se estará en condiciones de comprender mejor la imbricación dialéctica entre lo específico y lo universal de la cultura. Tal identidad hizo posible que los pueblos del continente, en su mayoría, se liberaran del colonialismo teórico casi al unísono en el siglo pasado y tal identidad hace hoy posible que se enfrenten a los nuevos problemas que los agobian, a pesar de las notables diferencias que existen y siempre existirán.

El estudio de tal identidad cultural de los pueblos latinoamericanos no puede constituir una mera tarea de eruditos ni de exigencias simplemente académicas. Naturalmente, tendrá que efectuarse con el rigor científico que demanda una labor de tal naturaleza, pero consciente de las repercusiones ideológicas que ello trae aparejado.

Se ha de estudiar la cultura latinoamericana para buscar las vías más efectivas para que estos pueblos sean más libres, para contribuir a que encuentren las formas más idóneas de dominio de su existencia.

NOTAS

[1] Acosta, José A. ''Historia natural y moral de las Indias'' en Monal, I. *Las ideas en América*. Casa de las Américas. La Habana, 1985. T. II. p. 103.

[2] Navarro, B. *Cultura mexicana moderna en el siglo XVIII*. Universidad Nacional Autónoma en México (UNAM). México, 1983. p. 27. En Ecuador, Eugenio Espejo también propugnaría revalorizar la cultura en el espíritu de la ilustración. Véase *Pensamiento ilustrado ecuatoriano*. Introducción y selección de Carlos Paladines. Biblioteca Básica del pensamiento ecuatoriano. Banco Central de Ecuador, 1981. p. 162.

[3] Márquez, P. J. "El filósofo, ciudadano del mundo" en *Humanistas del siglo XVIII*. UNAM. México, 1962. p. 133.
[4] Henríquez Ureña, *Historia de la cultura en la América Hispánica*. Fondo de Cultura Económica. México, 1963. p. 58-59.
[5] Bolívar, S. "Carta de Jamaica" en *Ideas en torno de latinoamérica*. UNAM. México, 1986. vol. I, p. 25.
[6] Bello, A. "Las repúblicas hispanoamericanas" en *Ideas en torno de Latinoamérica*. UNAM. México, 1986. vol. I, p. 187.
[7] Vitier, M. *Las ideas y la filosofía en Cuba*. Editorial Ciencias Sociales. La Habana, 1970. p. 191.
[8] Martí, J. "Nuestra América" en *Páginas escogidas*. Instituto del Libro. La Habana, 1986. p. 165.
[9] Alberdi, J. "Ideas para un curso de filosofía contempóranea" en *Ideas en torno de Latinoamérica*, UNAM. México, 1986. vol. I. p. 146.
[10] Sarmiento, D. F. *Conflicto y armonía de las razas en América*. Edit. La Cultura. Argentina. Buenos Aires, 1915. p. 442.
[11] Rodó, J. E. *Ariel*, Editorial Cervantes. Barcelona, 1926. p. 56.
[12] Bilbao, F. *El evangelio americano*, Editorial América. Buenos Aires, 1943. p. 151.
[13] *Idem*, p. 161.
[14] Vasconcelos, J. "El pensamiento iberoamericano" en *Indología*. Barcelona, 1927. p. 5.
[15] Vasconcelos, J. "La raza cósmica" en *Páginas escogidas*. Ediciones Botas. México, 1940. p. 34.
[16] Toledano, L. *Escritos filosóficos*. s.e. México, 1937. p. 88.
[17] Mariátegui, J. C. "La unidad de la América Indoespañola" en *Marxista de América*. Selección y prólogo Mercedes Santos Moray. Editorial Arte y Literatura. La Habana, 1985. p. 112.
[18] *Idem*, p. 118.
[19] Ramos, S. *Diego Rivera*. UNAM. México, 1986. p. 33.
[20] Ponce, A. *Obras*. Casa de las Américas. La Habana, 1975. p. 273.
[21] Marianello, J. "Cubanismo universal" en *Marxista de América*, *op. cit*. p. 307. Debe destacarse que el intelectual cubano consideraba que "un hondo sentimiento de la cultura sólo (era) posible en una sociedad regida por el marxismo" (*idem*, p. 321), al tener contacto con el desarrollo cultural de la Unión Soviética y en particular por la receptividad y desarrollo de las masas populares con relación a la cultura. Tal criterio quedaría cimentado aún más en su pensamiento tras el triunfo de la

Revolución Cubana al apreciar el extraordinario salto en todos los órdenes de la cultura al cual contribuyó notablemente.

[22] Véase Guadarrama, P. "La evolución de las ideas de Leopoldo Zea como antecedente y pilar de la filosofía latinoamericana de la liberación", en *Revista Cubana de Ciencias Sociales.* La Habana, 1987. enero-abril. no. 13, p. 131-149 y Cerutti. H.

[23] Zea, L. *América como autodescubrimiento.* Publicaciones de la Universidad Central de Bogotá. Bogotá, 1986. p. 48.

[24] *Idem,* p. 182.

[25] *Idem,* p. 84.

[26] *Idem,* p. 85.

[27] *Idem,* p. 92.

[28] Sin lugar a dudas una de las primeras interpretaciones originales de la realidad latinoamericana desde una perspectiva marxista la ofreció el peruano José Carlos Mariátegui. Véase *Siete ensayos de interpretación de la realidad peruana.* Casa de las Américas. La Habana, 1960. Esto no significa que Mariátegui haya sido el único que en esa época temprana de la recepción creadora del marxismo haya ofrecido análisis de valor sobre los problemas de la cultura y los problemas socioeconómicos del mundo latinoamericano, pues entre otros Baliño, Recabarren Mella, etc., coincidieron también con muchas ideas sustanciales, sin que tal vez hayan tenido tanta repercusión y reconocimiento continental como las del pensador peruano.

[29] Véase: I Congreso Internacional de Filosofía Latinoamericana. Universidad de Santo Tomás. Bogotá, 1981; II Congreso Internacional de Filosofía Latinoamericana. Ponencias. Universidad de Santo Tomás. Bogotá, 1982; III Congreso Internacional de Filosofía Latinoamericana. Ponencias. Universidad de Santo Tomás. Bogotá, 1984; Rojas, I. y Hernández, J. *Balance crítico de la sociología latinoamericana actual.* Editorial Ciencias Sociales. La Habana, 1987; Rodríguez Pérez, A. *La economía latinoamericana. ¿Crisis sin solución?* Editorial Ciencias Sociales. La Habana, 1987; Núñez, O. y Burbach, R. *Democracia y revolución en las Américas.* Editorial Vanguardia. Managua, 1987; Dessan, A. *Politisch ideologische stromungen in Lateinamerika akademie Verlag.* Berlín, 1987.

[30] Véase Ramírez, S. *Las armas del futuro.* Editorial Ciencias Sociales. La Habana, 1987.

[31] Véase Rodríguez, J.L. *Crítica de nuestros críticos.* Editorial Ciencias Sociales. La Habana, 1987.

EMANCIPACIÓN E IDENTIDAD*

GUSTAVO GUTIÉRREZ

En primer lugar quiero agradecer la invitación a participar en este panel y compartir con Uds. algunas reflexiones con motivo de esta fecha, que como toda fecha histórica es un poco simbólica, pero que puede ayudarnos a reflexionar a todos los de este continente sobre nuestra identidad. Como pueblo, como continente y naciones diversas podemos intentar ver nuestro pasado en función de la situación presente, cosa que naturalmente se ha tenido en cuenta en esta cita y en el proyecto grande de la que forma parte. Al hablar, entonces, del V Centenario de la conquista estamos entrando en un terreno más firme que el del descubrimiento que es una perspectiva europea.

Creo, en efecto, que se trató de una conquista, y el punto es delicado porque junto con esa conquista y con la presencia de la fuerza, la destrucción de tantas personas, culturas y pueblos, comenzó en este continente el anuncio explícito del Evangelio. Por eso, cuando hablamos de Iglesia no podemos dejar de referirnos a esa tarea y a ese anuncio. Los hechos en el siglo XVI, como intentaré decirlo un poco más tarde, hasta hoy están mezclados; es imposible en lo concreto de la historia separar la conducta de quienes llegaron a este continente llamándose cristianos y quienes todavía lo dicen y al mismo tiempo aceptan la situación inhumana y de infamia, cruel y anti-evangélica, en la que viven los pobres de este continente, similar a la que fueron sometidas las naciones indias en el siglo XVI.

Yo creo que si a veces hemos visto la historia política como una especie de sucesión de personajes, en América

* Ponencia presentada por el autor en el I Encuentro Peruano: "Emancipación e Identidad de América Latina: 1492-1992". Lima, Perú, noviembre de 1988.

Latina éstos han sido con frecuencia militares, lo que hace decir a Eduardo Galeano que nuestra historia se presenta como un interminable desfile militar. Me temo que una historia de la Iglesia puede parecer también una interminable procesión, si es que no salimos de una manera de entenderla que no sea la de enumerar obras, hospitales, personas de buena voluntad. Tratemos, más bien, de leer esa historia desde los humillados de ella, desde los vencidos, como dice el título de un libro célebre; me parece que de eso se trata. Creo que es muy importante intentar ver la historia de una manera diferente a la que estamos acostumbrados. No pretendo que sea algo enteramente nuevo, menos para Uds. que se interesan por el tema; pero tal vez para el latinoamericano medio se trate de otra historia, diferente a la que se suele enseñar y que muchos aprendimos. Esa otra historia, para ser más exacto —sin inventar un frívolo juego de palabras—, creo que es la historia del otro, la historia de alguien que no cuenta y que no ha contado nunca, pero que aún sigue siendo cierto lo que afirma hoy día. El otro de esta sociedad para quien ella no fue construida, el otro también de la comunidad cristiana que llamamos Iglesia —y que ha tenido y sigue teniendo como valores culturales, humanos y sociales, los que pertenecen a los sectores poderosos del continente—, ese otro del siglo XVI era claramente el indio. Hoy día son muchos más.

Hay una expresión de José Ma. Arguedas en *Los ríos profundos* en la que dice que la campana, la María Angola hecha con la sangre y el oro de los indios, al tocar abre las puertas de la memoria. Podemos simbólicamente entrar a ver estas cosas después de escuchar un poco el tañido de esta campana que nos abra las puertas a la memoria, de esa memoria que forma parte de los pueblos de este continente. Aunque esto es básicamente nuestro, me es imposible no referirme a otros, ya que en realidad sufrieron a través de guerras, de explotación y sufrieron también a través de la teoría que se hizo de todo ello.

En verdad el asunto está presente desde el comienzo; Bartolomé de Las Casas, por ejemplo, nos transcribe este texto de Cristóbal Colón en el que en una carta a los reyes de España les dice lo siguiente sobre los indios: "Son buenos para mandarlos y hacerlos trabajar, sembrar y hacer todo lo otro que fuere menester. Que hagan villas, que se les enseñe a andar vestidos y a nuestras costumbres". Desde el principio, el texto de Colón lo expresa con claridad; hay un hondo desprecio por los seres humanos que vivían en este continente. Y no se trataba de una teoría, el comportamiento concreto tenía las mismas características. Las Casas después de transcribir este texto anota que este es el origen de la inferioridad humana atribuido a los indios.

Algunas décadas más tarde, un pensador español que jamás vino a este continente —eso es una vieja costumbre europea, hablar de este continente desde allá—, escribió lo siguiente sobre los indios: "Con perfecto derecho los españoles ejercen su dominio sobre esos bárbaros del Nuevo Mundo e islas adyacentes, los cuales en prudencia e ingenio y todo género de virtudes y de humanos sentimientos son tan inferiores a los españoles como los niños a los adultos, las mujeres a los varones. Este concepto es muy respetable, los crueles e inhumanos, a los más extremadamente mansos, los exageradamente intemperantes a los continentes y moderados finalmente, cuando estoy por decir los niños a los hombres". Este es un texto de Ginés de Sepúlveda, escrito varias décadas después del de Colón. Esta manera de entender, si se puede decir así, a las personas de este continente, justificaba las guerras de dominación e incluso no faltaron teólogos que apoyaban esas guerras como un instrumento, precisamente, de evangelización. Un franciscano que adoptó un nombre indio en México, Motolinia, en una carta al rey de España, hablando de las guerras a los indios como medio para evangelizar, cita el viejo refrán que todos conocemos: "La letra con sangre entra".

La situación del indio de ese tiempo hace que hombres como Las Casas, como ya mencioné, la describan diciendo que los indios "llevaban su pobreza a cuestas", que era todo lo que tenían. O dirá también Las Casas, en una expresión muy clara y cargada de sentido, que "los indios mueren antes de tiempo''; muerte temprana e injusta que a decir verdad se aplica todavía a los pobres de este continente, pues siguen muriendo antes de tiempo. Esto motivó entre nosotros testimonios como el de Guamán Poma de Ayala, quien escribe como ''sentenciador y a ojos vista'', según él mismo dice. Quiere ser un testigo de su tiempo y por eso recorre las tierras del antiguo Tahuantinsuyo, reconociéndose como cristiano y saliendo ''en busca de los pobres de Jesucristo''. Todos conocemos ahora los textos y los dibujos a través de los cuales Guamán Poma expresa la situación de crueldad —de muerte prematura injusta en los términos lascasianos— que vivían los indios en el Perú.

Sea cual fuere el cálculo que se haga de lo que se ha llamado el colapso demográfico ocurrido en este continente y concretamente en el Perú (es difícil llegar a precisiones), es claro que se trató de una catástrofe. Estamos hablando entonces de muertes físicas pero además de muertes culturales, destrucción de civilizaciones enteras y, por lo tanto, de lenguas, de maneras de ser persona humana que se expresan a través de muchas cosas. Esa situación de muerte reviste caracteres de horror. El siglo XVI me parece que marca la situación de este continente y marca también lo que significa para un cristiano —es mi caso— el anuncio del evangelio y del corazón de él que es lo que llamamos el Reino de Vida, de Paz, de Justicia, de Libertad. Desde entonces se nos plantea, a quienes somos cristianos, esta pregunta que sigue abierta: ¿Cómo anunciar la vida, el Reino de Vida en una situación marcada por la muerte injusta y cruel?

En el mismo siglo XVI se señaló que las razones de esta situación de muerte estaban en lo que Las Casas llama con español antiguo ''el hipo del oro'' es decir, la aspiración del oro, y así lo comprobamos desde el diario de Colón que casi a cada página comenta: ''no encontramos oro'', ''nos dijeron que había oro un poco más lejos'', ''lo hemos encontrado pero muy poco''; con lo cual revela lo que se vino a buscar.

Tal es así que algunos indios llegaron a pensar que el oro

era el dios de los que acababan de llegar a este continente. Tanto lo buscaban que pensaban que era su dios. Hay una terrible anécdota que se cuenta en una carta de misioneros franciscanos y dominicos, en la que se dice que un cacique reunió a su pueblo al enterarse de lo que se había hecho en él y en otros grupos y dijo: "Reunamos todo el oro y llevémoslo al mar, lo botamos y así cuando vengan éstos no nos van a hacer nada porque el dios de ellos es el oro y lo que están buscando es a su dios, entonces para que no nos molesten vamos a quedarnos sin este dios que es el oro". Terrible en verdad esta anécdota que dice qué es lo que motiva realmente la presencia de los conquistadores.

En nuestro país tenemos un texto, extremo es cierto, pero de todas maneras existente y por lo tanto revelador, aquel que hasta hace pocos años hemos llamado el *Anónimo de Yucay* (y que dejó de serlo porque ya sabemos quién es el autor). En dicho texto el autor cuenta una especie de parábola para explicar lo que según él nadie había dicho todavía, y es la razón de la existencia de las minas de oro y plata presentes en las Indias. Es un escrito anti-lascasiano y en él el autor reprocha a Las Casas precisamente el exhortar a los indios a que no les digan a los españoles dónde están esas minas. La parábola que él cuenta es la siguiente: Dice que en una ocasión había un gran señor que tenía dos hijas, una muy bonita y la otra muy fea y a ambas las quería casar. Simplemente entonces avisó que quería casar a su hija más bonita y los pretendientes llegaron haciendo cola. Para casar a la más fea consideró el señor que lo único que podía hacer era dar una buena dote con lo cual, aunque no iba a haber mucho atropello para buscarla, algunos se interesarían.

Este relato el autor lo aplica a nuestra situación. Europa es la hija bonita que se casó rápidamente con quienes traían el Evangelio, los pretendientes se pusieron en el camino sin necesidad de ninguna compensación; la fea, por supuesto, son las Indias: este continente al que había que darle dote, minas de oro y plata porque si no no venía nadie a evangelizarlo. En este texto se afirma también con una frase increíble: "allí donde está el oro, ahí va el evangelio volando". En la mentalidad del autor se trata de una pieza de teología de la historia, trata de entender la historia a partir de lo que él considera una reflexión sobre la fe. Las Casas tiene entonces toda la razón cuando dice, con una fuerza increíble, que los españoles consideran idólatras a los indios pero los verdaderos idólatras son los que se pretendían cristianos y adoraban el oro. Se trata de una verdad bíblica.

En la Biblia, concretamente en el Evangelio, se dirá que no es posible servir a dos señores, a Dios y al dinero. El verdadero idólatra, dice Las Casas —por eso fue tan detestado en su tiempo—, es el que adora y entrega su vida y todo lo hace por el oro, ese es el verdadero idólatra, más que el indio que tiene sus costumbres y su tradición. Esto sucede frecuentemente con Las Casas, darle vuelta a las cosas; en la historia corriente el idólatra es aquél que no es cristiano, etc., Las Casas dirá que es ante todo el que busca el oro, aunque se diga cristiano; esto implica tratar de ver las cosas desde el reverso de la historia, desde la historia del otro.

Todos conocemos —basta una mención entonces— el episodio de Valverde y Atahualpa. Valverde puede ser una personalidad mucho más compleja de lo que se piensa, pero eso no interesa tanto; según podemos entender, lo que él le leyó a Atahualpa fue probablemente un texto llamado el Requerimiento, es decir, requerir a los indios en nombre de Dios, del Papa, del rey de España y someterse, por lo tanto, a quienes lo leían. El Requerimiento es un texto increíble, curioso y paradójicamente hecho por algunos que protestaron de los abusos contra los indios. Fue escrito en 1513, dado que algunos reclamaron por la forma como se conducían los primeros que llegaron. Resulta una paradoja increíble que de esa protesta salga esta especie de justificación formal. Para mencionar nuevamente a Las Casas, él dirá que frente a ese texto no sabemos realmente si reír o llorar. Reír por lo rídiculo de leerlo en castellano a pueblos que hablaban otro idioma y conminarlos a un comportamiento determinado, o llorar por lo que sucedía después de eso; creo que en este inicio de contacto con algunas afirmaciones cristianas está este requerimiento que significa una burla increíble para quienes nos sentimos cristianos y para quienes, en efecto, creemos que la fe cristiana tiene un valor y una dimensión humana muy grande.

Diecinueve años después de haber llegado los europeos a este continente, se produce en la isla, llamada en ese tiempo la Española (hoy República Dominicana), un grito. Es el grito de un misionero, fray Antón de Montesinos, que es el primero que protesta sobre lo que está pasando en las Indias. Esto hará que muchas cosas empiecen a cambiar por lo menos parcialmente; ciertamente, el sistema que se instala en ese tiempo tiene una fuerza muy grande y la lucha de un puñado de misioneros no logrará detenerlo, pero estarán allí presentes y yendo a las fuentes de lo que es auténticamente el Evangelio. Para citar una vez más a Las Casas, éste dirá que más vale indio pagano pero vivo, que indio cristiano pero muerto. En carta al rey le dirá, por consiguiente, que no vale la pena hacer cristianos acá pagando el precio de la muerte de los indios; más les vale que no sean cristianos pero que sigan viviendo. Una frase como ésta que parece que sale del dolor de lo que vio entre los indios (tiene sobre eso términos muy fuertes), y al mismo tiempo sale del Evangelio, y termina un párrafo muy crítico diciendo lo siguiente: "Ha de saberse claramente con la fe que donde está el pobre está el mismo Jesucristo, donde está Dios está la justicia". Es la voz de un cristiano distinto ciertamente, esta es otra perspectiva que algunos misioneros llevaron adelante, acercándose de algún modo —y con limitaciones obviamente— al mundo indígena e intentando ver en él no tanto al no cristiano, sino fundamentalmente al pobre.

La perspectiva de ver en el indio al no cristiano es enfoque religioso que divide, sobre todo en ese tiempo, a las personas en cristianos y no cristianos. Ver en el indio al pobre, sitúa las cosas de modo distinto y esa es —me parece a mí— la contribución mayor de los hombres como Las Casas, Guamán Poma y otros en nuestro continente; ver en el indio al pobre significa no distinguirlo de otros por razones religiosas —cristiano o no cristiano—, sino el pobre, el opreso —como decía Las Casas también en viejo castellano— frente al explotador, al que despoja; ver al indio en el pobre es entrar en una visión más evangélica, pero en cierto modo más política también de lo que ocurría en ese tiempo y entender que, como dice Guamán Poma, "allí donde está Dios, allí debe estar la justicia".

Yo creo que estas luchas entre maneras de comprender el valor de la vida humana (o su falta de valor), y la manera de entender también el Evangelio, es algo que encontramos en el siglo XVI enfrentando realidades que todavía no han terminado. En los pocos minutos de un panel no es posible detallar esto pero es claro que seguimos viviendo retos similares. Hoy estamos, y seguimos estando todavía en este continente y en este país, bajo el peso y el desafío de lo que significa la pobreza de la inmensa mayoría de nuestra población. Y ahora también creo yo que el Evangelio es capaz de despertar en algunos la voluntad de compromiso y solidaridad con los más pobres; otros factores y otros elementos podrán despertar sin duda eso mismo en otro tipo de persona y, al mismo tiempo, aún hoy en América Latina y en el Perú tenemos desgraciadamente el uso de lo religioso para justificar las injusticias sociales presentes. En esa confrontación estamos quienes nos reconocemos cristianos. La sufrimos, pero sentimos también que es importante dar una contribución, como un aspecto del combate por la justicia de nuestro pueblo; si en el siglo XVI Las Casas tuvo la intuición de ver en el indio más que al infiel —aparece en los términos técnicos de la época—, al pobre; yo creo que hoy también situarse humana y cristianamente en este continente implica leer lo que hoy pasa en nuestro país desde los más pobres. La historia del otro de esta sociedad, construida para salvaguardar los privilegios de unos pocos, creo que sigue siendo un reto y un desafío para todos.

Hoy día los pobres de este continente y de este país no son solamente los indios, otras sangres se incorporan a la población pobre de América Latina, la sangre negra por ejemplo; como decía don Ricardo Palma: "En este país quien no tiene de inga tiene de mandinga". El pobre es hoy día también muchas veces el mestizo. Cuando decimos que hay que tener en cuenta como criterio de construcción de una sociedad distinta, y como criterio también del anuncio del Evangelio, la presencia de una Iglesia en el más pobre, pienso en lo variada que es hoy día esa población pobre, india en buena parte del continente.

Pero no sólo eso. Como acabo de decir hay otros elementos y factores que intervienen igualmente; cuando hablo del más pobre de este continente pienso con toda sinceridad —iba a pedir disculpas por decirlo, pero ahora pido disculpas por haber pensado hacerlo—, que no son los más pobres de este continente los que hacen historia o teología, o participan en paneles como éstos y, por lo tanto, cuando hablamos de ellos seguimos hablando de alguna manera de un otro. No digo que lo que podamos afirmar, estudiar y trabajar no esté en la perspectiva de una solidaridad grande con ellos. Para mí este es un tiempo, creo con toda honestidad, en el que tenemos que intentar ver las cosas —incluso los que tenemos sangre india en nuestras venas—, desde la complejidad de los pobres hoy día.

Hace 20 años o un poco más hubo una reunión importante para la Iglesia en América Latina en la ciudad colombiana de Medellín. Allí se afirmó con gran fuerza que sólo la solidaridad con los más pobres del continente podía darle sentido a la sociedad latinoamericana y a la Iglesia que vive en ella; sé muy bien que las cosas no se limitan a textos, pero también sé que los textos expresan vivencias y provocan otras. Y provocan también resistencia. Hoy día en un sector de la sociedad latinoamericana, e incluso en círculos cristianos, hay una resistencia muy grande frente a lo dado por Medellín en una perspectiva evangelizadora, que tuvo además un eco muy grande en nuestro país. No es el momento de recordar textos o actitudes, pero creo que la perspectiva de Medellín, la de la solidaridad con el pobre tuvo y tiene para muchos una vigencia muy grande en nuestra patria. Pero tiene también resistencias grandes porque, finalmente, lo más nuevo de lo que ha ocurrido en América Latina los últimos 20 ó 30 años es lo de una nueva presencia del pobre en nuestro continente; en la Iglesia. Este hecho lo llamamos, en el marco de la teología de la liberación, la irrupción del pobre.

Se trata de una nueva presencia porque los pobres estuvieron siempre físicamente en este continente pero estaban ausentes en cuanto a la manera de entender la historia. Hoy día se van haciendo presentes nuevamente y creo que es un desafío muy grande; los que escribieron la historia durante mucho tiempo no fueron sino descendientes, físicos o culturales, de los dominadores. Hay una presencia nueva del clásicamente ausente cuando sus puntos de vista entran en la comprensión de la historia de este continente, en la comprensión de la historia del anuncio del Evangelio en estas tierras, en la construcción de la sociedad hoy.

Vemos en estos días en el Perú situaciones de deterioro enormes en las condiciones cotidianas y concretas de la vida de los pobres; esto que vivimos hoy día, puede ser iluminado con una perspectiva histórica. Pero no vale la pena hacer historia para quedarse en ella. Quedarse en el pasado es una actitud nostálgica que finalmente no va a ninguna parte. Si reaccionamos fuertemente contra lo que sucedió en este continente en el pasado es sobre todo porque creemos que sigue ocurriendo todavía hoy.

St. Edmunds College, Cambridge.

MOVIMIENTOS SOCIALES Y LA CLASE POLÍTICA EN AMÉRICA LATINA*

JAMES PETRAS

El ensayo de James Petras introduce la discusión de la temática con una reflexión sobre la importancia de los movimientos sociales en América Latina, en la cual anota que "el hecho más sorprendente de la política revolucionaria en Latinoamérica consiste en que las únicas revoluciones socialistas no fueron organizadas por partidos políticos sino por movimientos políticos. Ni el Partido Comunista de Cuba ni el de Nicaragua jugaron un papel significativo en el avance de las revoluciones. . ." De ahí que la experiencia y la historia latinoamericanas "desafían la ortodoxia de la esencialidad del partido revolucionario". En ninguna parte de América Latina el modelo europeo/soviético de un partido construido alrededor de sindicatos fabriles ha tenido éxito "en ganar la hegemonía sobre las masas y desafiar al Estado capitalista".

Adelanta entonces, el autor, la hipótesis de que prácticamente todos los cambios políticos significativos que ocurrieron en América Latina durante la última parte de los años sesenta y la primera parte de los setenta fueron el resultado "directo o indirecto de movimientos sociales masivos y no de procesos electorales o movimientos guerrilleros militarizados".

Para ilustrar este argumento, Petras provee una sinopsis de los "principales procesos de transformación" en América Latina —los movimientos de los sesenta y setenta— y analiza enseguida la "respuesta de la derecha": el terrorismo de

* El título original de este ensayo es: *Social Movements and the Political Class in Latin America*, Resumen y traducción de Heinz Dieterich Steffan.

Estado masivo. No se trataba sólo de destruir físicamente a personas o colectivos. La estrategia de trasfondo de la represión consistía en destruir "la idea central de los movimientos: la práctica del poder popular democrático auto-organizado independientemente".

Cuando los movimientos parecían haber sido destruidos, los militares y las clases gobernantes estuvieron dispuestos a negociar y permitir a la clase política organizar elecciones dentro de los parámetros preestablecidos por ellos: jerarquía, explotación y clientelismo. Durante la época de los ochenta los movimientos se recuperan del terror de Estado ejercido contra ellos.

En la última parte de su ensayo, Petras conceptualiza la "centralidad" de los movimientos socio-políticos en América Latina bajo cuatro aspectos: el patrón de desarrollo económico, la naturaleza de la estructura y del conflicto de clases, la relación entre la sociedad civil y la clase política y la formación de nuevas reflexiones ideológicas sobre la realidad social. Al terminar el estudio con un análisis profundo sobre la crisis de las "transiciones negociadas y los movimientos socio-políticos", el eminente politólogo resume lo esencial del trabajo en las conclusiones que a continuación ofrecemos a nuestros lectores.

H.D.S.

Es evidente que durante los últimos treinta años los movimientos sociales han sido las fuerzas políticas principales que formaron la agenda política, ya sea como sujetos de transformaciones sociales y formas de participación política innovadoras, ya sea como objetos de violencia sin par. Las mismas cualidades dinámicas que permiten a los movimientos construir amplias redes de activistas son las que provocan la muy arraigada hostilidad y oposición de las clases dominantes. De ahí el sorprendente contraste de nuestros tiempos: América Latina ha experimentado de una manera sin precedente tanto la profundización y extensión de la participación democrática popular como la represión estatal más sistemática desde la conquista.

La conexión entre la democracia popular y el terror de Estado no es casual. La expansión de la democracia popular basada en movimientos [sociales —H.D.] está vinculada a la severa erosión de la hegemonía burguesa y al desafío del papel dominante de la clase político-militar (*military-civilian political class*). La política de los movimientos se origina a partir de la reconstrucción y el fortalecimiento de la sociedad civil *versus* el Estado: ella robustece la solidaridad social horizontal contra mercados verticalmente estructurados; contrapone formas directas de representación y debate políticos y un lenguaje popular a las formas indirectas elitistas de representación de la clase política profesional, con su estilo político mediatizador (en el mejor de los casos) o manipulativo (en el peor de los casos) y sus sofísticos "discursos" políticos. Debido a que la política de los movimientos encuentra tanta resonancia entre los pobres y afecta profundamente muchos intereses fundamentales de las élites, evoca la patológica violencia de éstas y las duraderas lealtades de los primeros.

La recurrencia de los movimientos sociales, tanto en el tiempo como en el espacio (a nivel continental durante los últimos treinta años) y su vitalidad (su capacidad de reconstruir la conciencia colectiva) pese a una represión masiva y salvaje, son testimonio de las profundas raíces que tienen en la cultura latinoamericana y de su experiencia social.

El crecimiento de la política movimientista no es lineal ni inmune a la influencia de procesos políticos no-movimientistas, particularmente frente al atractivo de las súplicas liberal-democráticas, populistas o socialdemócratas. Como hemos argumentado, los movimientos surgieron (v.gr., en Chile, entre 1965-1973) y fueron destruidos (1973-1982), surgieron de nuevo (1983-1986) y refluyeron (1986-1989). La trayectoria de los movimientos puede no ser lineal pero existe una considerable continuidad de las experiencias y, particularmente, de los líderes informales y de la conciencia colectiva, para reconstruir la base de la actividad del movimiento más allá de las desviaciones políticas. Los movimientos no siempre caminan hacia adelante y en ascenso, pero la clase política y los regímenes civiles y militares han demostrado su incapacidad de crear controles duraderos frente a los movimientos. Ni los populistas ni los liberales han sido capaces de incorporar de manera permanente a los activistas y sectores participantes de los movimientos en sus máquinas políticas. Más bien, como hemos visto, existen, en el mejor de los casos, convergencias coyunturales entre la clase política y los movimientos, interrumpidas por tensiones y demandas contrapuestas, seguidas por fisuras y divergencias políticas.

Una sinopsis completa de las principales transformaciones sociales que han ocurrido en América Latina durante los últimos treinta años llegaría a la conclusión de que, directa o indirectamente, el factor determinante han sido los movimientos socio-políticos. Las únicas dos *revoluciones sociales*, la nicaragüense y la cubana, fueron conducidas por movimientos (el Movimiento 26 de Julio y el Frente Sandinista de Liberación Nacional), no por partidos o personalidades conductoras de la clase electoral política. En segundo lugar, las principales *reformas agrarias* realizadas en América Latina —en Chile durante el período de Frei-Allende y en el Perú— fueron precedidas de una movilización de masas y de acciones directas de los movimientos no-parlamentarios sin paralelo. En tercer lugar, el *desplazamiento* de los regímenes militares de la región fue en gran medida el producto de los movimientos de las masas populares —el Cordobazo y los levantamientos relacionados con él, en Argentina (1969-73), las luchas masivas populares en Brasil durante los inicios de los años ochenta y de las huelgas generales en Perú a medios y finales de la década de los sesenta. En cuarto lugar, *la creación de nuevas organizaciones civiles*, que politizaron y organizaron gente pobre no involucrada con anterioridad, fue básicamente el resultado de los movimientos sociales: en Colombia, donde hasta el 65 por ciento del electorado se abstiene de participar en las elecciones nacionales, los movimientos sociales han creado una red masiva de organizaciones locales con afiliación que involucra a muchos de los abstencionistas; en El Salvador y Guatemala, campesinos e indios que fueron excluidos o pasados por alto por la clase política electoral fueron profundamente involucrados en actividades de movimientos. En quinto lugar, los movimientos sociales han creado una *cultura política autónoma* que se inspira en las diversas tradiciones de la teología de la liberación, en el marxismo de los movimientos y en la teoría democrática clásica. Los esfuerzos de las élites para imponer estructuras corporativistas, en gran medida, han fracasado, socavados por movimientos democráticos populares que crecen paralelamente frente a estas instituciones autoritarias estatistas para, finalmente, reemplazarlas.

La *democratización de la sociedad civil* latinoamericana ha *avanzado mucho más que la democratización del Estado*. La construcción de la sociedad civil a través de diversas organizaciones y acciones de movimientos ha creado una tradición de participación, asambleas y elecciones populares sin las limitaciones y restricciones autoritarias y las alianzas elitistas que caracterizan la transición hacia regímenes electorales. Los regímenes electorales "incrustados" en los Estados autoritarios han sido generalmente hostiles a los movimientos, en ocasiones sensibles a presiones específicas y, rara vez, acordes con sus objetivos estratégicos.

Las transiciones recientes hacia políticas electorales en América Latina son parciales y probablemente "temporales". El contenido de clase de los regímenes electorales —su compromiso con los banqueros ultramarinos y los ricos nacionales— ha sido instrumental en la formación de una estrecha y viva relación con los militares. La clase electoral ha iniciado un proceso de militarización de la política para contrarrestar a los movimientos sociales ascendentes, radicalizando, de esta manera, el conflicto político. Las políticas neo-liberales y nacional-reformistas no han logrado detener la crisis económica y la creciente polarización social. El resultado es que los regímenes electorales fallaron en la consolidación del poder y del establecimiento de la hegemonía sobre la sociedad civil.

Por otra parte, está claro que las derrotas de los movimientos sociales durante la década pasada fueron coyunturales, no históricas: los movimientos no fueron frenados, tampoco fueron atomizadas las masas. Durante los últimos años de los ochenta, los movimientos sociales han estado en ascenso en todas partes, pero a un ritmo desigual y con características político-económicas dispares.

En Chile y México los movimientos demandan democratización política y social, atacando a los regímenes autoritarios militares o partidistas. La masiva derrota de Pinochet en el plebiscito y la victoria defraudada de Cárdenas en México son producto de la movilización de movimientos. Los movimientos sociales son fuertes a nivel de la base, pero más débiles a nivel nacional —exponiéndose, así, a la manipulación por la clase política en la coyuntura inmediata. Tanto los ex-líderes del PRI, agrupados en torno a Cárdenas, como los demócratas cristianos en Chile, ofrecen pocas perspectivas para consolidar el poder de los movimientos. No obstante, los movimientos juegan un gran papel en la tarea de socavar los monopolios políticos existentes y probablemente, en los nuevos contextos electorales, reafirmarán sus demandas socio-económicas contra la clase política.

En Argentina, Colombia, Guatemala y Bolivia, los movimientos laborales, organizaciones cívicas y, en algunos casos, los movimientos campesinos han resurgido y se han concentrado en "luchas económicas defensivas", tratando de detener el descenso de sus niveles de vida, la privatización de la industria, el cierre de empresas públicas y la violación de sus derechos humanos básicos por parte del Estado.

En Brasil, los movimientos están desplazándose más allá de posiciones "defensivas" u ofensivas, desafiando al poder y las prerrogativas del partido gobernante, apoyando alternativas políticas radicales (PT, PTB) que prometen dar respuestas a las demandas de transformación socio-económica de los movimientos. Los límites de conducción electoral de estos partidos, sin embargo, su tendencia de volverse "gerentes de la crisis" sugiere que la fase "ofensiva" de la política movimientista ha de trascender la esfera electoral o revertir hacia luchas defensivas, contra "sus" propios representantes electos.

En El Salvador y Perú, los movimientos populares están claramente a la ofensiva: el poder militar y el sustento político del FMLN han creado una estructura dual de poder que desafía a la clase política demócrata cristiana en desintegración y a los militares en el poder. En Perú, los movimientos sociales dominan los principales sectores de la sociedad, las plazas y calles céntricas y están firmemente atrincherados en los *slums* urbanos y en las poblaciones rurales. Las guerrillas están creciendo, han extendido sus redes hacia las ciudades principales y aparecen abiertamente en grandes manifestaciones: el régimen y el Estado se encuntran "sitiados". En ambos países existen condiciones para un desafío popular por conquistar el poder del Estado, o para el lanzamiento de una masiva y sangrienta contrarrevolución por parte de los militares y de las clases dominantes.

De està manera, los movimientos comparten un lugar central en el proceso de democratización y, más allá, en la redefinición de la relación entre Estado y sociedad. Con sus acciones, los movimientos han creado una nueva experiencia política que forma una nueva tradición de práctica política, profundamente ajena al "discurso" pos-modernista. No estamos en un período de fin de la ideología, sino en la edad de la ideología vinculada con la participación popular directa. Las políticas clasistas no han sido reemplazadas por medio de la "modernización". Han sido revigorizadas y han encontrado nuevos espacios para luchar, nuevas formas de organización. La operacionalización del discurso político de los ideólogos pos-modernos se ha convertido en una pesadilla para las masas: la "concertación social" se ha convertido en una fórmula mediante la cual regímenes liberal-electorales subordinan el trabajo a estrategias regresivas neo-liberales. Sobra decir que —al terminar varios pactos sociales en la congelación de salarios, mientras los precios se disparan en espiral ascendente— la confianza del movimiento en los compromisos de los regímenes acerca de "sacrificios iguales para consolidar la democracia" ha disminuido y se ha desvanecido.

Las concepciones pos-modernas de democracia sin clases también han pasado a la historia de los discursos muertos. Los programas clasistas de austeridad, la transferencia de divisas, en gran escala, hacia banqueros ultramarinos y la colaboración intensificada entre los militares y los regímenes liberales, han hecho añicos cualquier influencia residual que la retórica posmoderna pudiera tener sobre los que practican la democracia en los movimientos populares. Por doquier en América Latina, la base clasista de la clase política electoral es un punto de partida para cualquier discusión de estrategias políticas y movilizaciones sociales.

Los esfuerzos de los pos-modernistas para implementar apresuradamente una nueva síntesis de liberalismo y socialismo democrático sobre la base de economías neo-liberales, procesos electorales y vagas referencias al rol positivo de la sociedad civil, se han desintegrado a causa de la polarización de la "sociedad civil" por el mercado y las confrontaciones entre la clase política que —actuando conforme a las reglas democrático-capitalistas del juego— entra en conflicto con los movimientos sociales que actúan de acuerdo con las necesidades de sus miembros y de los sectores empobrecidos. Las profundas contradicciones entre la concentración y centralización del capital financiero y de exportación, la merma de los ingresos y la situación cada vez más precaria de la clase obrera han hecho estallar las políticas que los ideólogos pos-modernistas postularon como la concepción realista de la consolidación democrática. En retrospectiva, la declinación de los regímenes electorales es, precisamente, responsabilidad de los ideólogos posmodernistas que gustosamente aceptaron la subordinación del proceso electoral a un pacto con los militares en retirada, aceptaron las obligaciones de la deuda y el modelo neo-liberal de exportación, provocando de esta manera las profundas grietas socio-económicas que han agitado la sociedad de abajo a arriba.

El eclipse de la ideología pos-modernista dentro de la práctica de los movimientos sociales no fue acompañado por un proceso similar entre los intelectuales institucionales de América Latina. Los últimos, restringidos por los valores político-económicos de sus donantes ultramarinos, todavía buscan cerrar el abismo entre la clase política y los movimientos sociales, la suspensión de los pagos de la deuda y la continuación de los lazos financieros externos (incluyendo los suyos propios). La divergencia entre los intelectuales institucionales y los movimientos sociales es profunda, aún cuando ocasionalmente oscurecida por el flujo de fondos educacionales y para la investigación que aparentemente lleva a los dos a una especie de relación operativa. Paradójicamente, el crecimiento de los movimientos y el declive de los regímenes electorales podría abrir una vez más la llave de financiamiento externo para los institutos latinoamericanos, en la medida en que los donantes extranjeros se preocupen cada vez más por posibles amenazas revolucionarias contra sus intereses permanentes. En este contexto, los institutos, en su calidad de expertos y asesores, pueden influir para dirigir los movimientos hacia "luchas de clase democráticas", es decir, luchas dentro de los confines del marco de referencia político-electoral.

Hay límites en cuanto a lo que todas las fuerzas intelectuales, electorales y aun militares, pueden hacer para contener el resurgimiento de los movimientos populares de masas. Las condiciones objetivas están madurando para una reactivación de políticas revolucionarias. La mayor incógnita es si emergerán los sujetos colectivos (*subject forces)* capaces de traducir las demandas democráticas locales de los movimientos en un proyecto político nacional capaz de tomar el poder del Estado. Numerosas preguntas se presentan; si el gran número de movimientos puede ser unificado en una fuerza coherente que no sólo sea capaz de desplazar a los regímenes reaccionarios establecidos, electorales o militares, sino de crear un régimen controlado por el movimiento; si los movimientos pueden desarrollar una estrategia para enfrentarse a las políticas represivas cada vez más militarizadas de los regímenes electorales; si los movimientos y los movimientos guerrilleros pueden desarrollar una base común para acciones que subordine la organización militar al control democrático de los movimientos sociales; si los movimientos pueden convertir las instituciones y asambleas del poder popular en nuevas formas directas de representación a nivel nacional.

Las dolorosas experiencias de esta "década perdida" están engendrando, nuevamente, una confrontación mayor. El crecimiento de los movimientos populares pone sobre la agenda la cuestión básica del poder del Estado: el problema es si la izquierda podrá responder a las nacientes oportunidades históricas.

MEMORIA E IDENTIDAD: ALGUNAS NOTAS HISTÓRICO-CULTURALES

ELENA PONIATOWSKA

¿Cuáles son los signos de identidad de una persona? Sus señas particulares, su sexo, el número de años, el color de sus ojos, el altero de centímetros que lo alzan del suelo, alguna que otra cicatriz, los anteojos, un lunar sobre la boca. Eso si alcanza pasaporte o alguna tarjeta de identificación, licencia de existir sobre la tierra, permiso de ser, constancia de estudios. En América Latina, ¿cuántos tienen credencial? Desde luego no la tienen los pobres y muchos de los campesinos que gritaron con Zapata "Tierra y Libertad" se pasan la vida venerando sus papeles custodiados como la efigie de la Virgen de Guadalupe, traídos y llevados a la ciudad de México en su morral, el acta amarillenta que les da la sagrada posesión de su tierra, legada por sus padres, entregada por la bendita Revolución, y que la Secretaría de la Reforma Agraria no acepta como constancia de propiedad porque la tierra en México la reparten por capas hasta llegar al centro mismo del infierno y, hace mucho, que los funcionarios la han repartido a sus compadres. (Recuérdese que en el sexenio del presidente López Portillo, sus colaboradores tuvieron a bien regalarle no sólo caballos sino los ranchos de pastizales para albergarlos.)

¿Cuáles son los signos de identidad de un país? El espacio que ocupa sobre la tierra, su número de años, a partir del momento en que fue descubierto y bautizado (América Latina es apenas un cachorro de león, cumplirá quinientos años en 1992), su desenvolvimiento o sea su trayectoria en la historia del universo, su historia personal de conquista, invasión, violencia, represión, la pérdida de su soberanía política, el aplastamiento de todos sus valores, su gradual emancipación, su idiosincracia (no me gusta esa palabra; preferiría hablar de su carácter, su modo particular de ser que subsiste a pesar del terrorismo de la Colonia que destruyó sus ídolos y sus altares); la masacre que sin embargo no acabó con su espíritu de tal modo que Tonantzin es nuestra madrecita dentro de la Virgen María traída de España, la fuerza interior o la sublime indiferencia que nos hace vivir al filo de la tragedia o dentro de ese espacio intermedio a donde van los inocentes y que se llama el limbo.

Si nos fuera posible observar desde un vehículo espacial la evolución y las revoluciones habidas en el continente llamado América a partir de que Cristóbal Colón tropezó con él en 1492 mientras buscaba otras tierras, veríamos qué imprevisibles y por lo tanto qué distintos son los países entre sí y llegaríamos a la conclusión que lo único que verdaderamente nos une es el idioma, la explotación y la pobreza. Llamar descubrimiento a lo que estaba no sólo descubierto sino habitado y contaba con una cultura anterior a la Era Cristiana es simple y llanamente prepotencia europea. Para el piel roja, el azteca, el purépecha, el inca, el gigantón de Patagonia no hubo sino el encuentro con inventos desconocidos como la pólvora y la rueda, el caballo que convertiría al conquistador en centauro, un sistema diferente de escritura y una ambición de proporciones nunca vistas, un Dios distinto aunque semejante al imaginado (Quetzalcóatl), y una guerra perdida.

Los cosmógrafos de la época (naturalmente europeos) partieron de unos cuantos datos iniciales en el trazo de los mapas del continente que dividieron en fragmentos señalando islas donde existía tierra firme, formando un continente donde se hallaban las islas, vaciando el mar en lo que era río, engañando al navegante al guiarlo hacia entradas ciegas como si se tratase de estrechos, todo ello en un gigantesco y equivocado rompecabezas. Tal parece que este amontonamiento de tierras aventadas desde el cielo, con su obsesión de sirenas y caracoles, olitas respingonas y ríos entrelazados, montañas tendidas al sol como cordeles puestos a secar, fronteras cosidas a punto de cruz y a punto de deshilacharse, arboledas y milpas que se trepan en todas las direcciones, han perpetuado la confusión de esa cartografía inicial y los límites de los países se mecen al viento y los ríos se meten a donde no deben y las cataratas del Iguazú caen en portugués y su estruendo nacionalista ya no tiene sentido puesto que los ojos maravillados las saben catalogadas como patrimonio de la humanidad. Este desdibujamiento o mal trato de los cartógrafos lo hemos seguido padeciendo; aislados y débiles, ahora son los Estados Unidos quienes nos borronean y nos hunden bajo el agobiante, el inmenso peso de la deuda. Porque el mayor yugo de América Latina es el de su deuda. Más que problema político, el nuestro es ante todo económico. El factor primordial es económico y su supremacía nos paraliza. ¿Cómo vamos a competir económicamente con los Estados Unidos, con Japón, con el Mercado Común Europeo? Hasta ahora, lo único que hemos sido es mano de obra pobre y barata, carne de cañón, reos en las maquiladoras y ensambladoras.

Sabemos más hoy los unos de los otros en América Latina que lo que supieron los países colonialistas. No hay diferencia real entre México y Perú, no hay diferencia real entre un minero boliviano y uno mexicano, un campesino nicaragüense y uno salvadoreño, uno guatemalteco y uno hondureño, una vendedora de quesadillas de Pachuca es igual a una vendedora de salteñas en La Paz y nuestros niños de ojos rasgados son extraordinariamente semejantes. Rigoberta Menchú es igual a una mazahua que vende chicles en un camellón, sólo que erguida por el respeto que se tiene a sí misma y la fuerza de su lucha guatemalteca, lo mismo sucede con Domitila, la esposa del minero boliviano, quien pidió permiso para hablarle al mundo. Domitila trasciende sus circunstancias pero se parece a cualquier fabricanta robusta y decidida de Tlalnepantla. El chamula Juan Pérez Jolote pudo nacer lo mismo en Chiapas que en Guatemala, y los soldados salvadoreños son igualitos a nuestros Juanes kakis y morenos. Estamos muy cerca pero no lo sabemos. Antes nos parecíamos más, es cierto, nuestro parecido era muy intenso, sigue siéndolo pero para evitar que nos demos cuenta interviene la ilusión de las culturas nacionales, los modismos lingüísticos, los trajes típicos, los platillos regionales y las imposiciones culturales.

Ese dicho "salir de Guatemala para ir a Guatepeor" demuestra que aún no nos enorgullecemos de ser latinoamericanos. El trato no es igual para los parientes pobres y nuestra identidad latinoamericana tiene mucho que ver con nuestra conducta pues vivimos siempre en espera de la catástrofe que ha de aniquilarnos. Nuestra historia es de magia, de miseria y de abandono y ningún filósofo nos ha definido realmente, ningún filósofo nos ha enseñado a orgullecernos de nosotros mismos. Los presidentes de todos nuestros países están acostumbrados a tratar con los Estados Unidos y sus relaciones más importantes son las que tienen con Norteamérica. Entre sí los países latinoamericanos pueden abrazarse con cierta familiaridad, frente a Estados Unidos guardan la mayor cautela, porque siempre han vivido a la defensiva. Tiene mucha razón el poeta salvadoreño Roque Dalton, cuando escribe:

El Presidente de mi país
se llama hoy por hoy Coronel Fidel Sánchez
[Hernández.
Pero el general Somoza, Presidente de Nicaragua,
también es Presidente de mi país.
Y el general Stroessner, Presidente del Paraguay,
es también un poquito Presidente de mi país,
aunque menos que el Presidente de Honduras

. . .

Y el Presidente de los Estados Unidos es más
Presidente de mi país
que el Presidente de mi país.

Hoy por hoy, permanecemos mucho tiempo sin noticias los unos de los otros. Nos enteramos sí, pero sin continuidad, y sobre todo, nos mantenemos al tanto gracias a nuestra común condición de deudores. La deuda es nuestro yugo, nuestra condena. El Sueño Bolivariano sigue siendo eso, un señor sueño. Sirve para los discursos, se mantiene allá lejos, lejos, en el horizonte que nadie puede alcanzar y, es un florilegio más de nuestra ya florida retórica latinoamericana. José Enrique Rodó escribió en 1910: "Yo creí siempre que en la América nuestra no era posible hablar de muchas patrias, sino de una patria grande y única." Si Rodó regresara se sorprendería al ver cómo se ha pospuesto la unidad indispensable en favor del cultivo sistemático de la incomunicación. Estamos muy cerca pero no queremos darnos cuenta. "Patria es, para los hispanoamericanos, la América Española" —añadía Rodó—, y durante su vida entera fomentó la idea de la América Española concebida como una grande e imperecedera unidad, como una excelsa y máxima patria, con sus héroes, sus educadores, sus tribunos: desde el golfo de México hasta los hielos sempiternos del Sur. Fincaba la construcción de esta gran patria en los escritores: "Ni Sarmiento, ni Bilbao, ni Martí, ni Bello, ni Montalvo, son los escritores de una u otra parte de América sino los ciudadanos de la intelectualidad americana."

Los latinoamericanistas, José Carlos Mariátegui (Perú), José Enrique Rodó (Uruguay), José Martí (Cuba), José Vasconcelos (México), José María Morelos (México) (¡Cuántos Josés, todos Josés! ¿Y dónde está la Virgen y sobre todo el niño o la niña a cuya paternidad aspiraron y podría llamarse América-Patria-Unida?), fueron los forjadores de esa patria a la que se pertenece de modo distinto pero con intensidad igualada por las expresiones de la opresión y la represión, por la certeza del idioma, por los enemigos comunes. Sin embargo, a pesar de nuestra intensidad, nunca hemos considerado la integridad latinoamericana como un asunto de sobrevivencia. Estamos tan sumidos en nuestros propios problemas, vivimos casi siempre en estados de emergencia, al borde de los cataclismos, los naturales y los de nuestra economía. Si regresaran hoy a la tierra quienes unificaron nuestro continente en una sola aspiración, nos encontrarían en las mismas: no importa el tamaño del país, no importa que integremos un continente, cada uno estamos solos, las discordias se renuevan a cargo de unos cuantos que pretenden representar al todo nacional. Ni El Salvador

ni Honduras odian a Nicaragua pero las agencias de prensa y la confusión inducida por las clases gobernantes dan idea de querellas nacionales, y si recorremos el mapa hacia el sur, estallan las pugnas entre El Salvador y Nicaragua; la creación de Panamá atravesado, mejor dicho, mutilado por el Canal; Bolivia y su insistencia histórica de alcanzar el mar por el desierto de Atacama; Argentina en guerra con Paraguay por la frontera del Chaco; y desde las guerras por una línea fronteriza hasta la "Guerra del fútbol" todo parece un esfuerzo continuado por conseguir más definidas y definitivas separaciones.

La división inicial de virreinatos hecha por España poco después de las Cortes de Cádiz, durante la "Colonia", para mediados del siglo XIX encuentra en franca disputa a las nuevas repúblicas por algunos territorios cuya frontera es poco clara, como en los casos no todos resueltos en la actualidad a pesar de arbitrajes internacionales de México con el Reino Unido. Lo que para nosotros es Belice, para el Reino Unido es British Honduras y para Guatemala es su territorio, además de alguna zona dudosa sobre el Suchiate. Durante varias décadas, la zona del Soconusco, y la anexión de Chiapas a México, fue asunto de controversia internacional. Siguen los mismos litigios, pero no son conflictos de pueblos sino de élites. Argentina mira a la pérfida Albión y a la bruja de Falkland, la señora Thatcher, y México, que en tiempos del presidente Echeverría aspiró a ser el gran líder del continente, tiene que resignarse a recuperar la mitad perdida de su territorio merced a estrategias migratorias. ¡Qué enorme cantidad de mexicanos hay en Estados Unidos! ¡Cuántos latinoamericanos van subiendo desde el sur en busca del trabajo que no pueden proporcionarles sus países, en gran parte porque Estados Unidos, el país más rico y más avanzado del mundo, impone las reglas del juego!

Decía Bernardo Quintana, ingeniero constructor mexicano y fundador de la mejor empresa de construcción de América Latina, ganador por concurso de múltiples obras de gran magnitud, que para él resultaba difícil construir en Centro América porque una presa que se iniciaba en

Honduras terminaba en El Salvador, y así, como quien juega a las sillas musicales y queda con la mitad de su trasero en la silla del otro, los contratos debían hacerse con los dos países puesto que la obra se levantaba a caballo sobre los dos. Quintana emitió la frase un tanto peyorativa: "¿Por qué no se unen todos esos paisitos?"

Lo cierto es que a lo largo de quinientos años de vida (los cumpliremos en 1992 —(1492-1992)—), la comunicación cultural la hemos conseguido más con Europa, como lo atestigua la historia, con los mismos que nos colonizaron aplastando nuestras costumbres y dándonos las suyas, que entre nosotros mismos, y ahora, en el siglo XX la buscamos más con Estados Unidos y sus apantalladores logros tecnológicos que con ningún otro, porque como le dice Jesusa Palancares a su marido Pedro Aguilar en *Hasta no verte Jesús mío*: "Cuando se meta usted a hacerme guaje, búsquese algo que costee, una güerita que valga la pena, no a alguien igual a mí de prieta y de india". Somos el mercado natural de los Estados Unidos, somos sus "banana countries", su American Smelting, su Ocean Pacific, su United Fruit, somos sus recursos naturales no renovables, somos sus trabajadores mal pagados, somos su mano de obra siempre dispuesta, somos sus "brownies" y sus "mexican little jumping beans", somos sus changuitos, sus monos plataneros y lo peor es que entre prietos e indios no nos gusta reconocernos, hablamos el mismo idioma eso sí, tenemos más o menos las mismas artesanías porque todos los países pobres comparten el común denominador del arte popular, producto del ingenio y del desasimiento, pero las diferencias, los litigios por las fronteras, siguen vigentes y el "ideal latinoamericano" se enfrenta al igual que a principio del siglo al nacionalismo dirigido por las oligarquías locales. Nuestro aprovisionamiento cultural lo buscamos más allá de nuestras fronteras, pero no en Venezuela, no en Perú, no en Guatemala, sino en las universidades norteamericanas y sus activos departamentos de español y portugués (decía Julio Cortázar que con dos meses de enseñanza en los Estados Unidos podía vivir un año sin trabajar en París)

y todavía la consagración definitiva nos viene de Europa o de Estados Unidos, no de Brasil o de Argentina. Con todo y todo, la unidad latinoamericana no se ha roto. Como el pueblo de todos nuestros países, tiene una resistencia asombrosa.

España consiguió una mayoría del territorio pero nunca la unidad porque tanto las primitivas colonias inglesas que dieron origen a los Estados Unidos, como Portugal, Holanda y Francia, mantuvieron en uno y otro momento de la historia hasta el presente su soberanía sobre islas y territorios continentales desde el cono sur —con las Malvinas—, hasta el Atlántico norte —con las Bermudas, pasando por Guayanas y Belices y Guadalupes, Martinicas, Haitís y Puerto Ricos, grandes y pequeños caimanes—. ¿Puede entonces hablarse de una unidad de población? ¿De una unidad geográfico-política? Sí, porque la unidad latinoamericana, pese a todo, sigue en pie.

Los mismos conquistadores encontraron el continente poblado por etnias diferentes o emparentadas, religiones distintas o semejantes, lenguas diversas, literatura como la nahuatl y filosofía como la maya y la quechua, matemáticas y ciencias astronómicas como la maya. Fueron los conquistadores los que nos dieron nuestra actual identidad latinoamericana al imponer su lenguaje, su idea del núcleo familiar, su catolicismo, su machismo (no tenemos noticia del machismo indígena), la filosofía nahuatl nos ha dado poemas de flor y canto, afán por la vida y conciencia de que sólo estamos aquí de paso, en esta tierra en la que las mujeres también son flores, por lo tanto y para no marchitarse es grande el cuidado que debe tener la doncella de su cuerpo y de su honra, de su cuerpo que es su honor, su don del más allá, collar de piedras finas, como la llama su padre al aconsejarla mientras la mima: mi cuentita, mi muchachita, mi pluma de quetzal, mi hijita, mi único tesoro.

Hoy mismo, a pesar de que se va perdiendo la diversidad de idiomas, ciertamente padecemos una nueva pérdida; cada vez va siendo menor nuestra riqueza, al fundirse por asimilación y ser destruida por los medios. Pero al mismo tiempo se gana la unidad idiomática. El Chavo del 8 y el Chapulín Colorado han unificado el habla de los niños de Perú, Colombia, Guatemala y México. Lo que el Caló separa, la telenovela unifica. Hay una resistencia idiomática profunda que nunca podrán destruir los medios. Cervantes será siempre más importante que Raúl Velasco y la voz antigua de la Araucaria acabará siempre por ganar la partida. La lectura es la base de nuestra resistencia cultural y el idioma arcaico de los pueblos forma parte de su alma, es algo así como su espíritu. Ha acercado más una novela escrita en mexicano como *Pedro Páramo* que la huella que puedan dejar todas las telenovelas protagonizadas por Lucía Méndez o Verónica Castro. Estamos proporcionando gozos idiomáticos muy importantes. Rulfo en mexicano, Cabrera Infante en cubano y Cortázar con sus cuentos y rayuelas de corte idiomático rioplatense. *Boquitas pintadas* de Manuel Puig habla con el lenguaje de las clases medias de Argentina y funciona en toda América Latina. *La Guaracha del Macho Camacho* de Luis Rafael Sánchez, escrita prácticamente en puertorriqueño, tiene lectores entusiastas en toda América Latina. Simultáneamente el español o castellano que hablamos en América va necesitando cada vez más un diccionario, al evolucionar hacia lo que en un futuro será el mexicano, el argentino, el cubano, el salvadoreño, porque a los niños en El Salvador les dicen güagüitas, y en Cuba güagüas a los coches, y porque "concha" que en México es un pan blanco y redondo, dulce y crujiente, en otros países no es sino el sexo femenino que si bien podría reunir estas características, está sujeto a todas las licencias: poéticas u otras.

Los esfuerzos por unificar por lo menos en su política exterior a dichos países o de darles presencia unitaria frente al resto del mundo, son un rosario de fracasos, y para ello basta pensar en la OEA y la forma en que es bloqueada, socavada, según la hegemonía que se favorezca o afecte. Los esfuerzos de Contadora de la cual México puede enorgullecerse, no han disminuido la tensión entre el sur y el norte. Sin embargo, aunque Contadora no pudo convencer al imperialismo norteamericano de nada (porque nada

FE DE ERRATAS

En la página 5 debió aparecer mencionado:

COORDINADOR: HEINZ DIETERICH STEFFAN

En la página 36, se omitió, a continuación de donde dice: "...con el siguiente perfil:", el diagrama:

NIVELES DE DESARROLLO DE LAS SOCIEDADES AMERICANAS EN EL MOMENTO DE LA CONQUISTA EUROPEA

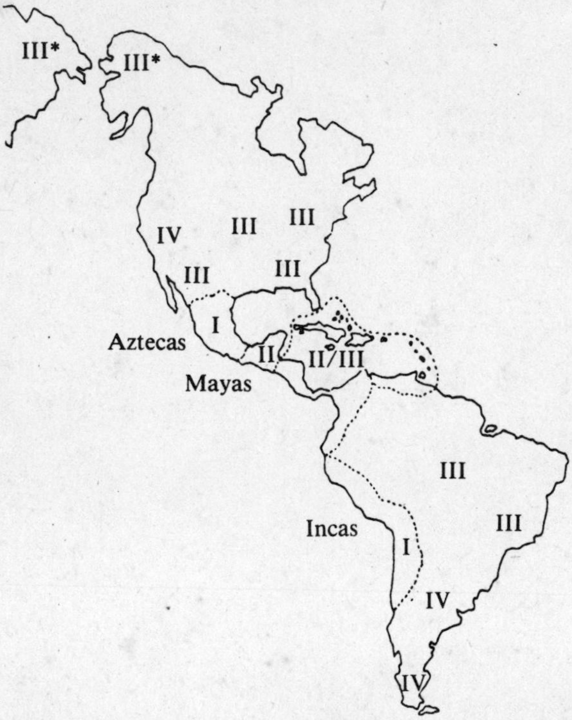

III*
III*
IV
III
III
III
III
Aztecas
I
II
II/III
Mayas
III
Incas
III
I
IV
IV

* En el estrecho de Bering, desde hace 18,000 años, había comercio e intercambio cultural entre los Koryak, Chukchi, Even, de Siberia y los Aleuts, Tlingits y Esquimos de Alaska.

puede convencer jamás a un imperialismo), evitó muchas muertes. América somos todos, los del sur y los del norte, y Guillermo Haro, astrónomo que siempre supo ver la tierra desde el cielo, se enojaba de que los Estados Unidos se apropiaran del "we americans" cuando sólo son norteamericanos, y los demás o sea la mayoría la conformamos nosotros, los latinos, habitantes de Centro y Sud-América.

Salvo la inmigración que ahora viene del Oriente a América, parece haber disminuido sensiblemente la antes nutrida inmigración de Europa a nuestro continente, que ya no es tan tierra de promisión como lo fue, sobre todo a raíz de la Segunda Guerra Mundial. Ya a ningún europeo se le ocurre "hacer las Américas" ni viajar con un atadijo de pan duro, un queso y una botella de aceite, en la bodega de un barco para ser puesto en cuarentena en Ellis Island o en la isla de Triscornia. Esos tiempos ya pasaron, y además de miseria, en América Latina hay revoluciones, revueltas y masacres. Ahora la emigración se da del sur al norte del continente porque América Latina, desunida, no tiene nada que darle a sus habitantes, y el sol está allá arriba y es un sol verde que vale más que cualquiera de las pobres monedas que se tienden de una mano a la otra. La recordada ALALC (Asociación Latinoamericana de Libre Comercio) tuvo vida efímera. El tráfico mercantil de la armada de barlovento o los viajes de México a Filipinas fueron, proporcionalmente, más importantes y de mayor volumen comercial, tomando en cuenta los censos de población de épocas coloniales, que el tráfico entre países hispanoamericanos de la actualidad. Café, azúcar, estaño, cobre, plata, oro, vainilla, henequén, petróleo y tantos otros bienes, van de nuestros países a otras regiones, al precio que marcan los consumidores internacionales.

En lo que sí puede América Latina no defraudar a Rodó es en aquella frase acerca de los ciudadanos de la intelectualidad americana, porque a los nombres de Sarmiento, Bilbao, Martí, Bello y Montalvo pueden añadirse los de Gallegos, José Eustasio Rivera, Güiraldes, López Velarde, Vallejo, Neruda, Miguel Ángel Asturias, Alejo Carpentier,

Borges, Paz, Fuentes, García Márquez, del Paso, Luis Cardoza y Aragón y otros muchos, tantísimos otros que no nombro para no parecerme al directorio telefónico, escritores de la talla de Lezama Lima, y Juan Carlos Onetti y otros que logran al conquistar la palabra, el sueño del Libertador, el Ideal Bolivariano, una unidad moral por encima de las discrepancias del continente, y por encima de sus nacionalismos. No en balde era Juan Rulfo el mayor conocedor de la literatura brasileña en México y había que oírlo hablar de Guimaraes Rosa y Mario de Andrade, Rubén Fonseca y Clarice Lispector, Lygia Fagundes Telles y Jorge Amado. No en balde las novelas reflejan la situación latinoamericana, a veces de terror, como en el caso de Galeano, Sábato, Marta Traba, Luisa Valenzuela, Miguel Bonasso y Elvira Orphee que saben muy bien de persecución, cárcel y tortura.

La más vigorosa posibilidad de unión entre los países, desde los caudillos de independencias (así en plural) cuyo ideal se cristalizó, frágil como el cristal y como él, seducción de espejismos, fracasó con el propio Bolívar. Los que siguieron, fueron dictadores o prepararon las primeras dictaduras del continente. Los países de América independiente jamás han coincidido en tener siquiera el mismo régimen de derecho, el mismo sistema de gobierno, el mismo grado de independencia. Los hay con dictaduras, repúblicas centrales, repúblicas federales, regímenes más o menos socialistas. La mayoría de ellos adoptaron el régimen federal en una imitación del federalismo norteamericano, donde fue auténtico dado que resultó del pacto de federarse de las primeras colonias, independientes entre sí, con habitantes de diversas procedencias, religiones, idiomas y costumbres. El centralismo que rigió durante 400 años en Hispanoamérica se vio convertido por obra y gracia de actas de independencia en repúblicas federales que sólo obedecían al centro. Lo más atractivo es, literariamente hablando, la figura del dictador, verdaderamente fabulosa. Antonio López de Santa Anna, once veces presidente de México entre 1833 y 1855, ordena para su pierna izquierda perdida en combate, unas Honras Fúnebres reales y su entierro pasa a la historia (convengamos en que resulta aún más original que Calígula nombrando cónsul a su caballo), y aunque de Álvaro Obregón, tercer Presidente de México después de la Revolución Mexicana, no puede decirse que sea propiamente un dictador, en el Monumento a Álvaro Obregón al lado de mi casa y la de ustedes, en Chimalistac, se conserva su mano izquierda perdida en combate, y mis hijos pequeños, me pedían no hace mucho, en premio a sus buenas calificaciones que los llevara a ver la mano de Obregón conservada en un frasco de alcohol bajo un plomizo mausoleo. Perón mandó embalsamar a Evita y su cadáver frente al cual desfilaban más que frente al de Stalin porque era más bonita, desapareció durante veinte años para reaparecer en 1975. Luis Cardoza y Aragón recuerda al General Jorge Ubico, dictador de Guatemala quién cayó en 1944. Sentaba a sus generales en un consultorio de dentista especialmente instalado en Palacio Nacional y les sacaba las muelas sin anestesia a sus gorilas uniformados complaciéndose en sus gritos de dolor. El mismo General Ubico ponía un disco de música clásica y como tenía una batería de jazz, daba tamborazos para fastidiar a Chopin, a Bach o a Vivaldi. Verán ustedes que por lo tanto casi no se necesitan novelas ya que nuestra sorprendente realidad política supera en mucho la ficción. Es entonces cuando nos damos cuenta que el surrealismo sigue a la orden del día. Cuando en nuestros países empieza a surgir lo real-maravilloso de Alejo Carpentier y las novelas del dictador (un solo dictador para todos, Juan Manuel de Rosas que es Porfirio Díaz, que es Juan Vicente Gómez, que es el doctor Francia, que es Guzmán Blanco, que es Trujillo, que es Somoza, cada uno con sus distintas excentricidades) que son *El otoño del Patriarca, El recurso del método, Yo, El Supremo* y *La muerte de Artemio Cruz*, todos los grandes solitarios del palacio, quienes alguna vez fueron revolucionarios y que a su vez configuran lo que podría llamarse la gran, la única novela de la dictadura escrita entre Alejo Carpentier y García Márquez, Augusto Roa Bastos y Carlos Fuentes, con una voluntad totalizadora, como totalizadora es la visión de estos escritores que bien podrían estar tejiendo entre todos la gran alfombra voladora de América Latina, la capa en los hombros del sueño Bolivariano, un manto que va de norte a sur. Texto gigantesco de la dictadura que es biografía, historia y delirio porque nada tan grotesco como esos delirantes dictadores tropicales que transportan de Europa Torres Eiffel y pequeños Versailles, Schönbrunns y Puertas del Sol mientras resuenan los güiros y las maracas que son los instrumentos más sensuales de la tierra. La historia misma de América no se parece a ninguna otra; mágica y fáustica, blanca y negra, milagrosa y terrible, real y fantástica, real e increíble porque lo que para nosotros es moneda común, para los anglosajones es punto menos que incomprensible y absurdo a pesar de que en la niñez leyeran *Alicia en el país de las maravillas*, como nosotros tampoco entendemos, valga la aclaración, que un actor de tercer orden pueda ser dos veces Presidente de los Estados Unidos.

Nuestra percepción del mundo tiene poco que ver con la europea o con la norteamericana, compuesta, antes que nada, con emigraciones de Europa, y sólo ahora, cuando empiezan a ser tomados en cuenta culturalmente los chicanos, los antiguos mexicanos antes dueños del territorio al norte del río Bravo, y todos aquellos espaldamojadas del continente que arrieros son y en el camino van, llegan a los Estados Unidos, para quedarse y no regresan a su país de origen, los "hispanics", los "wetbacks", los latinos, es cuando se analiza este fenómeno que está por darnos su propia definición de latinidad. Otro fenómeno latinoamericano es el del exilio, los escritores que se han visto obligados a salir por las dictaduras en su país, Onetti, Benedetti, Galeano, Cristina Peri Rossi, David Viñas han vivido en España, José Donoso el chileno, también. Uruguay quien cuenta con tres millones de habitantes y ha perdido a 600 mil, 700 mil argentinos fuera de Buenos Aires (México ha recibido a miles de refugiados, fue el primero en abrirle la puerta a los chilenos después de Allende: argentinos, uruguayos, salvadoreños, guatemaltecos encuentran sustento y trabajo aquí, y, hace años que vive entre nosotros el poeta y crítico de arte Luis Cardoza y Aragón que no puede regresar a Guatemala porque lo matarían como mataron a Alaíde Foppa), en fin, todo ello configura un perfil de la latinidad, el de aquellos que se ven obligados a abandonar su país por las circunstancias políticas, como muchos lo abandonan por lo que llaman "la necesidad", la necesidad sinónimo de hambre y también del fracaso de la política porque en última instancia son emigrados políticos porque su gobierno no les ha ofrecido nada, ni Reforma Agraria, ni empleos, ni derechos civiles.

¿En qué consiste entonces nuestro latinoamericanismo? Obviamente, en donde mejor se hace visible es en la mirada de los otros, la europea primero, que nos diferenció, y a cuya familia aspiramos a pertenecer durante la primera mitad del siglo —me refiero naturalmente a la literatura— y de la cual venturosamente nos independizamos y, hoy por hoy, en la mirada propia, la que nosotros lanzamos sobre nuestra propia hambre, represión y miseria, el militarismo, la ideología, y esa nueva forma de tortura que es propiamente latinoamericana, la desaparición que nos borra de la faz de la tierra como borró a los argentinos Haroldo Conti y Rodolfo Walsh.

De la importancia totalizadora de los escritores, ya sea en términos de lo real maravilloso o de lo real espantoso da fe también el hecho de que a los grandes escritores se les llame para ocupar puestos públicos. Han sido presidentes de su país Rómulo Gallegos y Juan Bosh. Ernesto Cardenal fue Ministro de Cultura de Nicaragua. A Gabriel García Márquez se le ha propuesto la presidencia de su país en varias ocasiones y ha declinado con la misma guayabera, con la misma con que recibió el Nobel, varias veces nuestros gobiernos consecutivos le han ofrecido a Octavio Paz puestos oficiales y se ha mencionado su nombre así como el de Carlos Fuentes al frente de la Secretaría de Relaciones Exteriores, siguiendo la tradición de escritores diplomáticos a lo largo de la historia de América Latina: Alfonso Reyes, Pablo Neruda, Enrique González Martínez, Miguel Ángel Asturias. Hoy mismo, Mario Vargas Llosa quiere ser candidato a la Presidencia de la República del Perú, y si ahora triunfara el cardenismo en México seguramente Carlos Monsiváis sería nombrado Secretario del Interior o Jefe de la Policía. Uno se pregunta: "¿Real maravilloso o real espantoso?"

Por la palabra se ha unificado a América Latina desde el río Bravo hasta Tierra de Fuego, por la palabra guardamos memoria, y la palabra ha sido instrumento de lucha, la palabra nos ha hecho reír, y la palabra se ha levantado en contra del silencio y en contra del sufrimiento. Lo más entrañable que sé de América Latina lo sé por sus escritores, sus cineastas, sus fotógrafos, sus pintores, sus escultores, sus músicos, sus coreógrafos, sus bailarines. Lo más deprimente lo sé por sus políticos y sus presidentes.

Para empezar a cantar pido permiso primero y ruego que me perdonen por estos apuntes que a imagen de América Latina, lanzo al azar, como ella lanza sus penas al viento (al menos así dice la canción). Aún no formamos un bloque sólido de pensamiento, pero creo que vamos hacia una literatura en América Latina en que ya no será Enrique Molina el que cuenta la vida de Camila O'Gorman y su amante el sacerdote Ladislao Gutiérrez fusilado por orden del dictador Rosas, sino la historia contada por las mismas monjas, los mismos sacerdotes de la Teología de la Liberación, ya no será José María Arguedas quien integre a los indios en su relato sino que hablarán los indios mismos sin necesidad de Ricardo Pozas, a través de Juan Pérez Jolote. No será Manuel Scorza quien los vengue sino ellos mismos al ponerse a nombrar las cosas de América Latina, pero no para que Europa las reconozca sino para establecer nuestro propio inventario. Sábato, Galeano, lanzan los puentes. A Marta Traba en su *Homérica Latina* la posee la multitud y a través de su boca habla todo un pueblo, la masa informe y desgarbada sobre la que recaen todas las desgracias y todas las bendiciones papales, la carne de cañón. Por eso tiene hoy, al menos en México, más fuerza la crónica, porque en ella Carlos Monsiváis, José Joaquín Blanco, Saborit y Bellinghausen, Zaíd, Krauze, Pérez Gay y Héctor Aguilar Camín se ponen a recoger la voz de todos. La sustancia narrativa está en todas las voces y al hacerlo no sólo documentan nuestro país sino construyen nuestra memoria, porque un pueblo sin memoria, es un pueblo que no ha aprendido lección alguna y vuelve sin remedio a cometer los errores del pasado.

Finalmente, a pesar de que sus mapas ya no son los de los cosmógrafos de España, en América Latina aguardan aún muchas zonas por descubrir. Ésas las podemos nombrar nosotros, identificarlas nosotros, cultivarlas nosotros, sacarlas de su soledad nosotros, integrarlas nosotros. Hemos tenido grandes pioneros, Artigas, Gallegos, José Eustasio Rivera, que cabalgaron sobre llanuras inconmensurables, pero también fueron descubridores los ensayistas Henríquez Ureña, Ángel Rama, Jean Franco.

En América Latina, hoy por hoy, millones y millones de latinoamericanos —sujetos a la violencia dominadora que se apropió de sus recursos naturales—, buscan juntos un nuevo camino; el de su unión. Unirse para no desaparecer, para no seguir siendo explotados, para apoyarse en sí mismos y en sus grandes potencialidades, para explotar solos sus enormes recursos naturales y manufacturar sus propios bienes de consumo. Y la liberación es común a todos, no queremos ser pueblos sin memoria, unirnos no nos invalida, no atenúa los rasgos de carácter de cada uno, al contrario, resuelta nuestra economía y nuestro retraso tecnológico, abonaremos nuestro jardín, el jardín común, el enorme jardín continental y entonces floreceremos.

La literatura ha dado la muestra ya que a través de García Márquez y su Macondo, nuestros pueblos se ponen a hablar por boca de uno solo y los amores, las venganzas, las infidelidades, los nacimientos, la muerte se vuelven epopeya, y todos somos protagonistas de ella, las mujeres que en armonía vuelan por los aires asidas a una sábana, y los hombres que tallan pescaditos de oro antes de salir a la batalla. Juntos tejemos nuestra integración, el gigantesco manto sobre los hombros de Bolívar, el manto sobre nuestros propios hombros.

LA UNIDAD IBEROAMERICANA, UNA UTOPÍA CONCRETA

AUGUSTO ROA BASTOS

Algunos escépticos, no del todo descaminados, de ambos lados del océano, consideran la unificación latinoamericana como una quimera. "Esa quimera, esa utopía", dicen no sin cierta razón que viene de la sinrazón histórica. Para estos espíritus habitados por la incertidumbre metódica, la unidad latinoamericana —que de hecho existe en potencia, pese a todos los pesares de su fragmentación y balcanización secular— vendría a resultar, según la usual definición de lo quimérico, un monstruo fabuloso; en el mejor de los casos, un mito falso, una ilusión. Y, en efecto, la América Latina —tal como está ahora—se asemeja bastante a una monstruosidad, no quimérica sino real. Un mosaico de países reducidos al atraso, bajo la férula de castas opulentas y despóticas, surgidas del antiguo gamonalismo criollo; de viejas y nuevas oligarquías que son, como se sabe, los agentes más fieles y eficaces del desorden neocolonial.

Hay, sin embargo, más. Si la unificación latinoamericana se les aparece a estos escépticos como una concepción imaginaria, difícil si no imposible de realizar, más quimérica y utópica aún se les antoja la integración iberoamericana: la del proyecto grande que preconiza, utópica o quiméricamente también, la unificación de los países peninsulares y latinoamericanos en una comunidad orgánica de naciones. Y hay que admitir que tampoco en esto les falta algo de razón, por la fuerza misma de los hechos.

Yo quería referirme sin embargo —que me perdonen los manes de don Tomás Moro— a otra suerte de utopías. No a las que se presentan como algo fabuloso o imaginario, sino a las que existen como energía radiactiva en el corazón de lo real, en la naturaleza misma de las cosas. Estas utopías existen desde siempre en la fina trama de la historia, aunque todo parezca negarlas; traen con ella su promesa y su realidad; generan su propio espacio de madurez y plenitud. Tales utopías son las *utopías concretas* que se realizan en la compleja dialéctica de la historia. A esta suerte de utopías pertenece el descubrimiento de América: un hecho sin paragón en los anales de este milenario, que vino a transformar radicalmente, a escala planetaria, la cosmovisión vigente hasta entonces y a demostrar la verdad de la concreta "utopía" copernicana —contemporánea del Descubrimiento— echando por tierra las viejas cosmologías.

UN DESCUBRIMIENTO QUE NO FUE DESCUBIERTO

La utopía visionaria de Colón, la de descubrir un camino más corto hacia las Indias, se realizó en otra, para él inesperada: el descubrimiento azaroso del Nuevo Mundo, que ni siquiera lleva su nombre. Somos hijos de esta utopía. ¿Cómo podríamos negarla sin negarnos? Es claro que el mundo que "descubrió" Colón, sin saber que lo descubría, sólo era nuevo para los europeos. Allí existían ya viejas civilizaciones y culturas, algunas de las cuales habían llegado a estadios muy avanzados de desarrollo; pueblos con su identidad propia y una peculiar cosmovisión, que dejaron perplejos, en un primer momento, a los propios descubridores.

En tanto seres utópicos, a medias reales, a medias concretos, estamos esperando todavía, a lo largo de cinco siglos, completar esa unificación determinada por nuestra identidad multirracial y multicultural, pero negada sistemáticamente por factores adversos a ella. Esta identidad o mancomunidad ha generado, sin embargo, vínculos y compromisos recíprocos sobre la línea de fuerza de un destino que debería ser común. Ante él se abre un nuevo milenario en cuyo transcurso la presencia iberoamericana está llamada a desempeñar en el mundo —si esta unificación se concreta y fortalece en lo justo y necesario— un rol de primera magnitud: un polo nuevo, una tercera vía hacia la paz, por encima y más allá de los núcleos hegemónicos que constituyen la contrahumanidad; por encima y más allá de los dogmatismos cerrados que constituyen la contrademocracia, en el bicentenario de este ingenioso invento de la burguesía en ascenso.

LAS DOS AMÉRICAS

La incorporación de América al sistema de Occidente, la ulterior bifurcación del continente en la América anglosajona y la América ibérica católica, fueron acontecimientos que imprimieron un sesgo muy particular y diferente a cada una de ellas. En lo que concierne al mundo iberoamericano, no aconteció esto sin dificultades y vicisitudes enormes. Choque de civilizaciones y culturas, más que el pretendido y eufemístico "encuentro de culturas", o "encuentro de dos mundos", fórmulas que envuelven —todo hay que decirlo— algo como un cierto pudor vergonzante de llamar las cosas por su nombre. No hubo tal idílica convivencia ni era posible que la hubiese. Lo que hubo fueron luchas terribles en las que las culturas autóctonas acabaron devastadas y sus portadores sometidos o aniquilados, como ocurre siempre en las guerras de conquista, en los largos y desordenados imperios coloniales.

Como todas las grandes empresas humanas, también esta de la Conquista y la Colonización está llena de sombras. Y de hecho no son el etnocidio, la esclavitud y la expoliación los que la honoran. Pero tampoco estas tachas —que existieron como en todos los procesos coloniales— pueden ocultar y anular el balance positivo de la historia. No debemos olvidar que la colonización española es el único caso en la historia de los imperios de Occidente que tuvo por contrapartida la insurgencia de poderosas voces condenatorias de la guerra de conquista y el surgimiento de una verdadera conciencia anticolonial, que fundamentó una filosofía moral y jurídica en el pensamiento y la acción de sus hombres más eminentes y formó una arraigada tradición en la vida cultural española, entroncada con el pensamiento erasmiano. Basta con mencionar los ejemplos paradigmáticos de Bartolomé de Las Casas, de Francisco de Vitoria, de Francisco Suárez, del propio Cervantes, cuya novela fundadora admite, sin duda, una lectura paródica y satírica de los nuevos "caballeros andantes" que andaban asolando América. Esta pasión moral convertida en conciencia crítica es la que enfrentó en un duelo dantesco el pensamiento anticolonialista hispano a la Contrarreforma y a la Inquisición en las dos líneas antagónicas de absolutismo y humanismo, que en América contendieron desde la conquista a la emancipación, y aún después.

No podemos olvidar, por otra parte, que tras el mestizaje biológico y cultural, que sucedió a la conquista, fue de entre los criollos, *mancebos de la tierra* y mestizos, de donde iban a surgir los rebeldes y emancipadores, es cierto; pero también los más encarnizados capitanejos y tiranuelos cuya descendencia sigue padeciendo nuestra América. Con lo cual se ha consumado ese "totalitarismo diacrónico" del que habla Rafael Sánchez Ferlosio en su magnífica crónica o invectiva *Esas Indias equivocadas y malditas*, publicada hace poco (*El País*, Madrid, 3/VII/88); texto apasionado y crítico que se encuadra perfectamente en esa corriente del pensamiento anticolonial hispánico, de esa pasión moral convertida en conciencia crítica que no teme ser excesiva por llegar hasta el fondo de las cosas. La verdad nunca es excesiva; sólo lo insignificante es excesivo. Lo que vive y se desarrolla hacia el futuro es esta "utopía anticolonial" de los pueblos latinoamericanos, puesto que siguen sumidos material y culturalmente bajo diversas formas de colonización.

SENTIDO DE LA UNIFICACIÓN

En este contexto, la conmemoración del Descubrimiento no celebrará, por supuesto, la parte sacrificial de este drama. Tampoco intentará poner una máscara fastuosa sobre las atrocidades que se cometieron. Pero sin excluir ni olvidar la parte oscura e inenarrable de aquella hecatombe de los pueblos precolombinos, la destrucción de sus culturas, de sus religiones, de sus mitologías, del asiento de sus ciudades y sus riquezas, el sentido genuino de la conmemoración no puede estar sino en la proyección simbólica hacia el futuro de este acontecimiento que es patrimonio de toda la historia humana. La única manera legítima de conmemorar estos fastos es la de vivir la historia hacia el futuro donde convergen y se entrelazan las líneas positivas de aquellos acontecimientos memorables y memoriales que nos han dejado su permanente y dolorosa lección.

En esta época, en la que hemos llegado a un punto límite, el discurso histórico no puede ser, no es ya, únicamente un saber. Es sobre todo una ética del conocimiento histórico. Ella exige, a su vez, un comportamiento justo y solidario a los miembros de una comunidad forjada por una historia que les es también común. Y estas comunidades deben unirse y actuar juntas en lo mejor de sus genuinas potencias o virtualidades para hacer sentir su presencia mediadora y conciliadora en un mundo al parecer condenado a la violencia, generada por el enfrentamiento de las potencias hegemónicas.

La comprensión del pasado desde el presente y su proyección al futuro es, así, la única lectura inteligible de la historia para la construcción de un proyecto de plurales dimensiones. Esta lectura comporta una toma de conciencia crítica, no únicamente por las minorías culturales, por los estados y los gobiernos, sino también y sobre todo por los millones de seres humanos de todas las capas culturales y condiciones sociales de esta vasta porción de la humanidad que forma el mundo iberoamericano. Debe crearse una conciencia general y federativa de la unificación.

La conmemoración va unida así al esclarecimiento —en su doble acepción de clarificación y ennoblecimiento— de este concepto maltrecho y como trascordado de la unidad como comunidad de pueblos de un mismo horizonte cultural; situación cuya penosa evidencia se manifiesta, sin embargo, en el desconocimiento mutuo de las historias de cada parte, llenas ambas de los equívocos y ambigüedades que asentó en ellas la colonización. Pero las historias no son sólo el pasado "documentalizado" con mayor o menor erudición por la historiografía. Los hechos históricos no sólo se hallan registrados en los documentos o en la veracidad de las interpretaciones tejidas en el marco de la hermenéutica. Los hechos fundacionales *viven*, sobre todo, en la memoria colectiva; son claves genéticas de sus identidades, las que se reflejan a través de su comportamiento.

Las identidades reales de los pueblos no se definen de manera abstracta ni se revelan más que en los momentos de crisis o de plenitud, en lucha contra los infortunios y las vicisitudes, en busca de su genuina expresión individual y colectiva; en ocasiones, de su propia sobrevivencia. Esta lucha es la que hace surgir, indefectiblemente, en los momentos de crisis y desfallecimientos, a los dirigentes naturales de verdadero peso moral, de voluntad visionaria y al mismo tiempo pragmática, compenetrados, consubstanciados con la naturaleza de sus colectividades y la fuerza dinámica de su destino histórico. Bolívar, San Martín, Artigas, Juárez, Martí, son buenos ejemplos, en América Latina, en una amplia gama de actitudes, de una acción verdaderamente carismática con respecto a sus pueblos, aún cuando sus empresas de liberación no fueran siempre coronadas por el éxito. Por lo menos de momento inmediato.

Por todo ello, la conmemoración del descubrimiento va unida necesariamente a la toma de conciencia crítica de los grandes problemas comunes y de una acción política gradual y consecuente con la progresiva solución de los mismos. El proyecto de unificación es una empresa cada vez más erizada de dificultades y escollos que parecieran condenarla a un aplazamiento indefinido. No se pueden correlacionar ni integrar magnitudes diferentes, o que se hallan en desigual estado de desarrollo. Y ésta es, precisamente, la situación que existe entre la España actual y los países hispanoamericanos. Es evidente que el concepto de la España democrática como compañera de las naciones americanas en un plano de igualdad y en un plan de comunidad orgánica de naciones no resulta aún viable. Salvo en empresas de cooperación y ayuda unilaterales o parciales, y por lo mismo casi siempre transitorias e ineficaces. En su mayor parte, las colectividades latinoamericanas no han accedido aún al asentamiento de sus instituciones, agobiadas por el tremendo flagelo de la deuda externa, por los regímenes despóticos, la inestabilidad política y el marasmo económico, signos evidentes de su dependencia de los centros de poder.

Un destacado dirigente político latinoamericano definía esta situación cuando la describió hace algunos años de la siguiente manera: "Un primer hecho que debemos considerar es que nuestros países exhiben profundas diferencias entre los que van consolidando, en medio de enormes dificultades, sus formas de organización y de gobierno en la democracia y aquellos que aún no han superado los condicionamientos autocráticos y oligárquicos que a su vez conspiran contra procesos de independencia económica y afianzan el subdesarrollo, el atraso o el estancamiento. No sólo no constituimos una unidad política con todos los caracteres comunes necesarios para garantizar proyectos de cooperación exitosos, sino que además no hemos superado conflictos entre nuestros países, que una y otra vez nos colocan al borde de enfrentamientos y alientan carreras armamentistas en sociedades que en muchos casos, por lo menos para algunos sectores, no han alcanzado niveles dignos de subsistencia".

Este es otro de los aspectos problemáticos de la integración iberoamericana en su conjunto, no sólo en lo que concierne a los países latinoamericanos entre sí. El dirigente democrático —cuyas palabras acabo de citar—, actual presidente de una nación suramericana, advertía, a renglón seguido, lo siguiente: "En un continente donde lo raro es la democracia y la independencia económica, la cooperación técnica puede terminar siendo, de hecho, la cooperación entre las filiales de las empresas trasnacionales, que, claro está, se guían por los centros de decisión externos. Y en el plano político, lo que es más grave aún, las coordinaciones efectivas entre gobiernos antipopulares y antidemocráticos se hacen para consolidar los férreos esquemas de dominación de las oligarquías locales y para servir los intereses imperiales que se expresan bajo el manto de la llamada teoría de la seguridad nacional". Estas palabras pertenecen al doctor Raúl Alfonsín, que las pronunció antes de su ascención a la presidencia de la República Argentina, en ocasión del *II Encuentro en la Democracia* (ICI, Madrid, 1983). Alfonsín vio claramente el peligro. No acertó a conjurarlo. Como jefe de estado ha cumplido actos importantes de gobierno (entre ellos el sonado juicio a los jefes militares de la "guerra sucia", el primero en su género en América Latina, realizado por la justicia del nuevo estado de derecho, hasta el remate inconcluso del mismo, fijado por el tope gubernativo del "punto final"), pero no pudo sentar en el banquillo las causas de la sideral deuda externa, ni completar durante el curso de su mandato, a pocos meses ahora de su término constitucional, su proclamado proyecto electoral de levantar el país de su postración económica, social y moral, a la que lo sometieron sus victimarios.

Los organismos regionales, los pactos y acuerdos entre países son, por supuesto, tentativas intermitentes de la voluntad de unificación, pero son precarios y carecen de la fuerza de una convocatoria multilateral porque, en la mayoría de los casos, son iniciativas inconexas entre estados y gobiernos sin una suficiente conciencia nacional que los respalde como expresión permanente de independencia y soberanía. La Asociación Latinoamericana de Libre Comercio (ALALC, 1960), el Sistema Económico Latinoamericano (Sela), el Mercado Común Centroamericano, el Parlamento Latinoamericano y los sucesivos pactos interregionales, incluso el Pacto Andino (1970) —el mejor diseñado y el más activo de todos, hasta su declinación— , tampoco pudieron ampliar los promisorios éxitos de sus comienzos. El Pacto Andino, por ejemplo, en su Decisión No. 24 (que establecía un régimen común de tratamiento para las inversiones extranjeras) chocó violentamente con la resistencia de las corporaciones multinacionales, adversas siempre a los procesos de integración regional. Situaciones análogas se registraron con respecto a las laboriosas e infructuosas gestiones de Contadora en el asunto de Nicaragua, del Grupo de Apoyo, del Consenso de Cartagena (cuyo objetivo central es el tratamiento de la deuda), bajo las presiones directas o indirectas, las intimaciones e intimidaciones del "socio mayor" norteamericano, dispuesto a no dejar que se cumplan los objetivos regionales comunitarios.

En este sentido, las negociaciones políticas —pese a los fracasos iniciales— revelaron una eficacia mayor en el planteamiento de los conflictos subregionales centroamericanos; negociaciones que culminaron en el acuerdo de Esquipulas 2, con el plan Arias para la paz en Centroamérica, aún en curso y que en su momento pareció, si no conjurar por completo, al menos aplazar y aun derivar la inminente intervención norteamericana contra Nicaragua —una más en la innumerable cadena de la política del *big stick*—, y crear las bases jurídicas y políticas para un nuevo entendimiento de los países del área centroamericana.

UNIFICACIÓN E INTEGRACIÓN

Pese a su relativa y a veces nula eficacia, las numerosas tentativas de acuerdos comunes son, sin embargo, los jalones que marcan irregularmente el proceso de unificación latinoamericana como indicios de una vieja aspiración colectiva. Son gestos, si se quiere, precursores pero firmes. Este proceso es previo, aunque simultáneo, a la eventual integración con España y Portugal; es algo que debe producirse —como quiere el dicho popular— de una sola vez aunque poco a poco. Esta unificación debe surgir como una voluntad de consenso y de acción no sólo de los gobiernos y los estados, sino, principalmente, de las grandes masas populares, con cuya decisión refrendaria necesariamente se debe contar, y que los partidos políticos, que se quieren democráticos, no siempre saben estimular y menos canalizar. La alternancia democrática, aun en regímenes pluralistas, no siempre garantiza ni asegura la continuidad y perfectibilidad de los logros. Sin la existencia de este consenso refrendario —que por ahora sólo en la democracia es posible, a pesar de todos sus defectos como sistema de organización y como filosofía política—, el proceso de unificación estará siempre expuesto a no lograr más que éxitos transitorios y, en el peor de los casos, a la acción saboteadora de las oligarquías locales y extranjeras, celosas de sus privilegios, y al riesgo aún mayor de los estallidos, revolucionarios o no, que se incuban en el atraso y la miseria como la respiración jadeante de una masa de muchos millones de seres humanos esquilmados y expoliados. El terrorismo de abajo no es más que la réplica simétrica del terrorismo de arriba, y ambos se nutren en el caldo de cultivo de la violencia larvada o declarada que cada sociedad desequilibrada lleva en su seno a causa de este desequilibrio.

En ausencia de espacios permanentes de concertación, América Latina no tiene una política europea, desde el momento que tampoco existe una política coherente y sin demagogias para romper las horcas caudinas de la dependencia y la dominación, cuyos vectores son, en primer término, las correas de transmisión del imperialismo económico y financiero. El más claro ejemplo de tal situación es el hecho de que no se haya logrado concertar aún acuerdos multilaterales para que el conjunto de los países afectados pueda gestionar y resolver el angustiante problema de la deuda y quebrar de una vez el siniestro pero invisible mecanismo que la genera en un círculo vicioso, al parecer irremediable, entre acreedores y gobiernos deudo-adictos. Su inexorable crecimiento lo convierte, más que en una ilevantable hipoteca, en una enorme rueda de molino atada al cuello de nuestros países, ricos o pobres, con la consecuencia de una larga agonía de inanición y de asfixia.

Sólo a partir de las Malvinas (1982) la Comunidad Europea (a la sazón la Europa de los Diez) comenzó a preocuparse por Iberoamérica. La lección de la guerra de las Malvinas, a la que capciosamente la ya tambaleante dictadura militar en la Argentina se aferró como a la tabla de salvación (o seudolegitimación) de una "guerra nacional" para encubrir las atrocidades de la "guerra sucia" interior, y la contundente réplica del poder imperial anglosajón, tuvieron una gran importancia para toda América Latina. De seguro este episodio producirá efectos perdurables, quizás aún imprevisibles, en todo el sistema de relaciones del mundo de

Occidente. El toque de alerta de Malvinas volvió más receptiva la sensibilidad europea hacia los graves conflictos regionales latinoamericanos. Una demostración tangible de ello se dio en las conferencias interregionales de San José (1984) y de Luxemburgo (1985), de las que surgieron un diálogo político orgánico y un proyecto de cooperación económica entre la Comunidad Europea y Centroamérica. Este es el camino jurídica y democráticamente viable para el planteamiento y la busca de soluciones posibles.

Es este un plano donde la reciente victoria democrática del pueblo chileno sobre los quince años de la siniestra dictadura militar representa un triunfo que concierne a toda nuestra América, en particular, y a los países democráticos en general. En las condiciones en que ella acaba de ser lograda, en su primera fase —el derrocamiento político y moral del dictador—, puede asegurarse, desde ya, que sus consecuencias serán irreversibles, cualesquiera sean los escollos y las derivaciones que el régimen vencido en las urnas tratará de imponer al proceso en marcha de la transición democrática en Chile. Es también indudable que esta derrota contribuirá al desmoronamiento de otros regímenes similares, como el de la dictadura militar en Paraguay, la más antigua y perversa de América. Así como es igualmente previsible que esta victoria democrática, hecha de combatividad sin tregua, de contención cívica y de profundas convicciones de una ciudadanía que no bajó nunca su guardia, repercuta favorablemente en otros países del Cono Sur, como Argentina, Brasil y Uruguay, en los cuales la transición hacia la democracia pluralista y el estado de derecho ha quedado estancada por las fuerzas reaccionarias que siempre quedan agazapadas en las estructuras del poder, al acecho de una nueva oportunidad.

ESCOLLOS DEL "SOCIO MAYOR"

En el caso de los países de América Latina y el Caribe, batidos desde más de un siglo por el Pacto Neocolonial principalmente con el imperio británico, luego con el imperialismo norteamericano y las potencias europeas, a partir del período entre dos gueras, no sólo no han podido integrarse sino que, por el contrario, se han visto sometidos, la mayor parte de ellos, a la desintegración política, económica y social. Si hubiera necesidad de algunas pruebas al canto, ahí están la doctrina Monroe (antecedente de la doctrina de la Seguridad Nacional), la que, de aval de la emancipación de los países latinoamericanos frente a Europa, se transformó para ellos en regla de la "soberanía limitada", y luego en el estatuto incuestionable de la dominación. Ahí están las intervenciones de los Estados Unidos (más de un millar, entre operaciones de sojuzgamiento de todo tipo, incluidas las invasiones militares y navales). Desde el despojo a México por el poder militar estadounidense de más de la mitad de su territorio, a mediados del siglo pasado, a la absorción de Puerto Rico y la más reciente invasión de Granada, tras la tentativa de invasión a Cuba, frustrada en Cochinos por la firmeza de sus fuerzas revolucionarias, la actitud depredadora de los Estados Unidos ha mantenido una rigurosa continuidad. A este historial, que no condice con su condición de gran potencia democrática como cabeza del mundo llamado libre, debe sumarse el apoyo logístico, diplomático y financiero a Gran Bretaña en la guerra de Malvinas, la presencia de las fuerzas armadas estadounidenses en Honduras, el bloqueo y acoso de Nicaragua con la espada de Damocles de la intervención armada, su inagotable ayuda militar y económica a los contrarrevolucionarios, la participación privilegiada de este país, por vías del búmeran financiero de los créditos, en el endeudamiento de los países latinoamericanos. La lista sería larga y ociosa por lo conocida.

En el segundo *Encuentro en la Democracia: Europa-Iberoamérica* (ICI, Madrid, 1985), se escucharon al respecto opiniones muy ilustrativas. Sergio Spoerer, por ejemplo, citando a Grabendorf, reconoció que "existe consenso en aceptar que entre ambas regiones el mayor denominador común es la vulnerabilidad frente a Estados Unidos, que vale tanto para América en el sistema interamericano, como para Europa en el sistema atlántico. Las dos regiones, por razones históricas muy diferentes, terminaron por asumir un rol de socios juniors de Estados Unidos''. Pero esta enunciación que parece una *boutade* no lo es. Y lo peor es que esto es serio y gravemente real. El hecho de que tanto Europa como América Latina acepten (como en un ''consenso'' implícito e inexorable) como el mayor denominador común entre ambas regiones su *vulnerabilidad* frente a los Estados Unidos, ¿no es aceptar lisa y llanamente la superpotencia occidental como al patrono que puede imponer, castigar, escarmentar sin apelación posible, el menor desvío o transgresión de sus aliados menores? ¿No es negar, en una conciente y resignada actitud de dimensión, la existencia misma del *mundo libre* en cuya defensa se han concluido los sistemas de alianza?

VIVIR LA HISTORIA HACIA EL FUTURO

En este contexto de entrecruzadas corrientes y presiones, la toma de conciencia crítica del proyecto de unificación iberoamericana no tiende a un planteamiento abstracto o anacrónico de la compleja cuestión. No se trata de formar un *Commonwealth* más, a la inglesa, ni de proclamar de inmediato una ''quimérica'' Unión de Estados Iberoamericanos de acuerdo con los modelos tradicionales. Los proyectos visionarios, revolucionarios, deben serlo por su mesurado dinamismo pragmático. Sólo de este modo lo utópico se vuelve posible.

La revisión crítica no es así un mero *revisionismo* postulado desde el ángulo de ideologías contrapuestas. La plural amalgama de razas, de culturas, de motivaciones e intereses legítimos, la necesidad de relaciones más estrechas y orgánicas, de un conocimiento mutuo más amplio y profundo, depurado de leyendas negras y leyendas blancas, constituye hoy la nebulosa de un mundo en gestación que busca plasmarse en medio de enormes dificultades, incluso de las coartadas y evasivas de una *real politik* que apunta al árbol sin ver el bosque. Lo que importa, desde el ángulo de lo posible, es justamente establecer y organizar una sociedad comunitaria sobre la base de nuestras identidades, afinidades y diferencias, en una conjunción que no anule sino que vitalice, en la interdependencia, la soberanía y la autonomía de cada pueblo y nación. Y esto sólo puede hacerse sobre las correlaciones entre los países latinoamericanos que tienden hacia la democratización y la España democrática. Una España en su unidad con Europa, en su europeísmo geográfico, pero también en su iberoamericanismo esencial. Quiero decir: unidad de España con Europa, de la que forma parte, y unidad de España con Latinoamérica, con la que forma un mundo aparte.

Para los países de Latinoamérica el ingreso de España y Portugal en la CEE, constitye, como es obvio, una modificación importante en el sistema de correlaciones normativas (económico-financieras, jurídicas, comerciales, etcétera) con la Península; correlaciones que pueden ser ventajosas para todos si España puede cumplir ese difícil y también utópico rol de "puente entre dos continentes", más allá de las restricciones e incompatibilidades que suponen estructuras organizativas como las de la CEE y la nueva concepción de una Europa cuya fecha inaugural de "lanzamiento" coincidirá con la del V Centenario. Hay simetrías significativas. Se halla en marcha por de pronto el proceso de cooperación y ayuda al desarrollo de América Latina por parte de España. Cooperación que, de acuerdo con las reformas de la política exterior española, ha quedado definida por los ejes europeo e iberoamericano.

No sabemos aún qué orientación tomará en el futuro esta mutación de la comunidad europea nacida del Tratado de Roma. Los grandes emprendimientos tienen casi siempre modestos orígenes, pero no siempre se desarrollan de acuerdo con los planes previstos. La ingeniería política adolece aún de notorias flaquezas, sobre todo frente a los cuantiosos intereses en pugna. ¿Es un nuevo bloque el que se quiere crear? Lo evidente de este proceso por etapas, que cubre por ahora un sector restringido de la Europa del Oeste, no puede limitarse a esta concepción limitada de Europa. Tal concepción volvería a enclaustrar en un gueto extraño y antihistórico a un conjunto exclusivo de países de primera y hasta de segunda clase con la función de legislar, gestionar y administrar (incluso sus sistemas autónomos de defensa) esta suerte de nueva *ecumene* occidental, reducida a un tercio de la Europa, fragmentada y desarticulada precisamente por la política de bloques. La historia contemporánea no comenzó en Yalta, que fue solamente una vuelta de tuerca de los "grandes", pero no precisamente un giro copernicano en la historia del mundo.

Sea de esto lo que fuere, cabe aquí imaginar una nueva utopía concreta: la de una Europa en su conjunto unida por los vínculos y las correlaciones históricas que le dieron basamento y cohesión, pese a las artificiales secesiones que la han quebrantado a lo largo de su historia y sobre todo a raíz de las dos últimas guerras. Hay derecho imperativo a creer y esperar que la Nueva Europa, diseñada más bien por politólogos teóricos y por políticos en actividad que por expertos en ciencias sociales y humanas y por los pueblos que serán afectados por ella, no sea sólo una expresión de los intereses de mercado y una alianza preventiva contra la expansión e infiltración vertiginosa, en los países de Occidente, del "nuevo orden" que surge del levante asiático y que los augures de la cosmología política dibujan como la "era del Pacífico". Fantasmas y temores de la competitividad entre los grandes estados tecnocráticos. "Guerra fría" de la época con su arsenal de ordenadores y satélites de la reconversión industrial, sus informatizadas bolsas de valores, en el maelstrom de la economía del mercado, última etapa del capitalismo rampante. Su éxito no hará más que perfeccionar el caos; pero su fracaso puede precipitar al orgulloso y opulento Primer Mundo a no ser más que una extensión del Tercer Mundo, si no acontece lo peor. Es preciso, sin embargo, estar abierto a los cambios y ser prudentemente optimistas, sin caer en la candidez del optimismo universal satirizado por Voltaire y corroído por los propios hechos humanos.

En el polo opuesto, los latinoamericanos podemos abrigar

la certidumbre, aunque no fuera más que a largo plazo, de ocupar el lugar que nos corresponde, junto a nuestros aliados de hoy. España y Portugal por descontado lo tendrían que ser. Les va en ello su suerte futura. Esta comunidad de intereses y de destino plantea, en primer lugar, la necesidad de una alianza iberoamericana de carácter cultural, económico y político en un mundo no totalmente deshumanizado. Esta forma de alianza tendría la enorme ventaja —según lo observó Mario Bunge en el ya mencionado coloquio— de ser el primer sistema de naciones que no estaría dominado por una gran potencia ni se propondría someter a pueblo alguno. "No hay peligro —reflexiona Bunge— de que se convierta en un bloque agresivo, porque ninguno de sus componentes tiene poder suficiente para sojuzgar a los demás, y porque cada uno de ellos tiene experiencia de dominación extranjera y desea conservar su autonomía dentro de la interdependencia."

De este modo, los compromisos derivados de alianzas de tipo militar dentro del bloque occidental estarían contrarrestados por el pacto neutralista de las naciones integrantes de la alianza iberoamericana, determinada por la naturaleza misma de la comunidad. Los objetivos de esta alianza son, naturalmente, en estadios superiores, la neutralidad, la desnuclearización de las regiones respectivas, la limitación de los presupuestos militares y la congelación de la carrera armamentista a las estrictas necesidades de la defensa civil y nacional. Las armadas y los ejércitos deben volver a su estricta función institucional, renunciando a ser los árbitros de la vida cívica y a menudo los opresores y verdugos de sus pueblos. Objetivos que, en un régimen general y coherente de democracia y de derecho, obtendrían rápido consenso, desde el momento que en América Latina existe ya una marcada aspiración en este sentido, e incluso, en algunos países, hay estipulaciones que los prevén como el desiderátum de elección. Entre las condiciones fundamentales que se plantean en forma análoga para América Latina y el Caribe, para España y Portugal, la realización de un proyecto semejante exige indispensablemente un nuevo orden, que abarque las relaciones este-oeste y norte-sur; un nuevo orden económico, político y cultural, de carácter pluralista y federativo, o sea, una nueva asociación de estados que sea la necesaria réplica de la comunidad europea. Tal proyecto realista y al mismo tiempo visionario sólo puede objetivarse a condición de que contenga en germen el desarrollo global de una asociación de naciones libres e independientes, sin discriminaciones a favor de los países más desarrollados y sin exclusión de los que no han sobrepasado aún los niveles de subdesarrollo o atraso, que son mayoría en la región. Naturalmente, la democracia —aún en los sistemas más abiertos y pluralistas— no es un fin en sí, y menos una panacea universal. Es sólo un medio, no siempre eficaz —como se ha visto—, pero al menos es un camino adecuado hacia la paz y el progreso, asequible y perfectible, en esta hora y en esta parte del mundo en la que nos toca vivir y padecer la "obnubilación en marcha de la historia".

En lo que nos concierne como hispanoamericanos, no se trata ya solamente de un ajuste de cuentas permanente con la España imperial, ella a su vez desaparecida. No sería honrado transferir a la España democrática, únicamente, el fardo aberrante del pasado en su totalidad y menos aún el fardo no menos aberrante del neocolonialismo actual, cuyo rodillo compresor sabemos cómo funciona y sobre qué ejes, pero acerca del cual persiste una rara discreción de lenguaje y se prefiere no hablar ni decir las cosas por su nombre. Lo que recuerda bastante la cautela proverbial de no mentar la soga en casa del ahorcado. Esta operación oblicua sería una manifestación más de la mala conciencia de las élites mestizas, que tratarían con ello de eludir su responsabilidad histórica en la frustración, o por lo menos, en el aplazamiento indefinido de la liberación latinoamericana en su totalidad, en su plenitud solidaria. Este mundo no realizado aún de la unificación iberoamericana es el que aún queda por destruir. Nosotros sí sabemos que existe y debemos contribuir a la concreción de su realidad. No importa el tiempo cronológico sino el tiempo de las generaciones y los pueblos, en cuya energía se fragua el temple de las utopías concretas. Entre lo utópico y lo posible, este es un reto de la historia. O lo que es lo mismo, un desafío del porvenir.

LO DE AMÉRICA: ¿DESCUBRIMIENTO, ENCUENTRO, INVENCIÓN, TROPEZÓN? ¿QUERELLA NOMINALISTA?

GREGORIO SELSER

El oro es excelentísimo: del oro se hace tesoro, y con él quien lo tiene, hace cuanto quiere en el mundo, y llega a que echa las ánimas al Paraíso.

EPÍSTOLA DE CRISTÓBAL COLÓN a los reyes Fernando e Isabel, fechada en su forzado exilio de Jamaica el 7 de julio de 1503

No gastaron (los Reyes Católicos) ni quisieron gastar para ello (el "descubrimiento") salvo un cuento de maravedís, e a mí fue necesario de gastar el resto.

TESTAMENTO DE CRISTÓBAL COLÓN

No tiene trazas de amainar la polémica desatada en torno a la conmemoración de "eso" que ocurrió el 12 de octubre de 1492 en alguna minúscula ínsula del desconocido Caribe de entonces. El episodio, su entorno, su contexto, ¿deben ser mencionados, descritos, evaluados, caracterizados, caratulados y hasta computarizados como la tradición semimilenarista oficializada lo ha venido haciendo, o se requiere una nueva nomenclatura? ¿Qué fue? ¿Descubrimiento, encuentro, invención, tropezón? ¿O qué otra cosa? ¿Qué sentido o importancia tienen el hacerlo? ¿Y a quién o a quiénes les valdrá la faena de resolverlo?

Una de las tormentas estalló cuando se anunció en México un concurso abierto para trabajos sobre el "Quinto Centenario del Descubrimiento y Conquista de América". Era ajeno a los festejos de España y el consejo honorario quedó constituido por personalidades intelectuales de Iberoamérica. La discusión sobrevino cuando algunos miembros del organismo objetaron la palabra "descubrimiento". Finalizó cuando los organismos patrocinadores aceptaron que el título general del concurso fuese "Quinto Centenario de la Conquista de América".

Que no se trata de una mera querella nominalista más, se deduce del cada vez más frecuente tratamiento del tema en la prensa escrita a lo largo y ancho del hemisferio occidental. Ya no es exclusiva prerrogativa de los historiadores y antropólogos, aunque éstos sigan manteniendo la polémica en vilo en el ámbito académico. Por razones que tienen que ver con la aplicación actual de las consecuencias sociales y políticas del episodio de octubre de 1492, han ingresado en la liza multitud de organizaciones indigenistas y defensoras de los derechos humanos, así como también partidos políticos.

Y por aquello que los sociólogos denominan "efecto demostración" en Estados Unidos y Canadá ya ha comenzado a debatirse el tema de la conquista y colonización en la que participaron España, Francia, Inglaterra y Holanda, si bien hasta ahora no con la misma pasión con que en Iberoamérica se discute el papel que les cupo en análogas peripecias a esos mismos países y a Portugal. Y por cierto que en algunos casos no salen bien librados la España actual a propósito de cuanto está haciendo para conmemorar aquel acontecimiento, ni Portugal por lo que *no* está haciendo. Es deducible que en la medida en que nos acerquemos a 1992, el debate se incrementará. Nos contamos entre los que consideran que será bueno que ello ocurra a ambos lados del Atlántico.

Así lo ratificó el catedrático mexicano Miguel León Portilla, uno de los más connotados estudiosos de la cultura prehispánica de México, embajador de su patria ante la UNESCO. León Portilla, quien habla, lee y escribe correctamente uno de los idiomas nativos técnicamente fenecidos, el náhuatl, declaró al asumir sus funciones que propondría al español Federico Mayor que la UNESCO participe en los actos recordatorios del "Quinto Centenario". ¿Quinto centenario de qué cosa? —le interrogó con picardía un periodista, a sabiendas que el interpelado está enzarzado desde hace años en una ardua discusión con uno de sus insignes pares, el historiador y filósofo Edmundo O'Gorman, sostenedor de la tesis de que "no fue ni descubrimiento ni encuentro". León Portilla respondió:

> Desde la primera reunión en que se analizó el tema, los mexicanos propusimos que no se hablara desde el mero ángulo eurocéntrico del descubrimiento, sino que se tomara en cuenta que ya había, y hay aún, culturas indígenas en el Nuevo Mundo. Fueron ellos los descubridores, cuando llegaron los españoles ya estaban allí. Por eso propusimos la idea del encuentro de dos mundos, el nuevo y el viejo, lo que provocó ciertos antagonismos en España. Ya no es posible el eurocentrismo, debemos tomar en cuenta al otro, en un plano de igualdad.
>
> He estado participando en la celebración con la comisión mexicana. Hace casi 500 años la humanidad inició un proceso de encuentro, de globalización, de toma de conciencia del mundo en que vivimos. Hubo enfrentamientos, mestizajes; algunos, como el padre Las Casas, defendieron los derechos indígenas [. . .] los indígenas nunca aceptarán que se conmemore que fueron *descubiertos*, sojuzgados o conquistados.

En un artículo que León Portilla escribió el 11 de abril de 1985 en el diario *Novedades* de México, se refirió a "lo que ocurrió el 12 de octubre de 1492", o sea a la llegada de Cristóbal Colón a una isla de las Antillas, es decir, a lo que genéricamente iba a ser conocido años más tarde con el nombre genérico de América. Aquella elipsis movió a una urticante respuesta de O'Gorman en *La Jornada* el 19 de mayo siguiente. O'Gorman, autor de dos clásicos de esa temática: *La idea del descubrimiento de América y la invención de América*, reprochó a su impugnado el haber incurrido en una "obra maestra de anfibología", así como en propugnar que, en lugar de "con toda franqueza oponerse a la celebración de la efeméride", pretender conmemorarla "con el subterfugio de buscarle al suceso otra fama, es decir, un sentido distinto".

Tomó O'Gorman otras expresiones de León Portilla, "de lo que se inició el 12 de octubre de 1492", y "allí está la raíz de los vínculos con todos los pueblos de lengua española y portuguesa", para inferir que se produjo el "encuentro original" entre el antiguo y el nuevo mundo, encuentro del cual resultó "el mestizaje no sólo biológico sino cultural, como lo muestra el ser de México y de gran parte de América", que ocurrió no sin la violencia y el sojuzgamiento de los pueblos nativos. O'Gorman le atizó: "En otras palabras, sosláyase la también realidad de la guerra de conquista, del sometimiento, explotación de los pueblos autóctonos y la destrucción de sus culturas [. . .]".

Quizás en el marco de esa polémica, *El País* de Madrid editorializó el 31 de julio de 1985 acerca del "quinto centenario de la llegada a tierras americanas de la expedición capitaneada por Cristóbal Colón" y previno contra la polémica iniciada en este lado del Atlántico "acerca de las expresiones más adecuadas" para designar la efeméride: "descubrimiento o encuentro de culturas denominan, desde perspectivas complementarias y armonizables, un mismo fenómeno". Pero esto era precisamente lo que documentada y extensamente controvertía O'Gorman. *El País* añadía que la discusión "no puede ser despachada a golpe de prejuicios" y postulaba que precisamente "1992 podrá ser una oportunidad excelente para equilibrar la visión de los vencedores que los españoles proyectan frecuentemente sobre el pasado americano, con lo que el ilustre antropólogo mexicano ha denominado la visión de los vencidos".

El libro *Visión de los vencidos*, editado hace varias décadas, es una antología de textos indígenas relativos a la guerra de conquista que padecieron los indios, a la sumisión en que quedaron y a la destrucción de su cultura. Es también un clásico y su recopilador y traductor de lenguas vernáculas fue León Portilla, el estudioso que sigue considerando que la idea del "descubrimiento" es persistentemente eurocéntrica y que "como bien se había dicho en las Naciones Unidas" cuando España allí propuso la celebración internacional del suceso, "olía a colonialismo trasnochado".

Otro importante antropólogo y sociólogo mexicano, Rodolfo Stavenhagen, sintetizó en una crónica titulada "El encuentro de dos mundos" (*La Jornada*, 10 de julio de 1985) las líneas fundamentales de la polémica, pero añadió:

> A quienes no se les ha preguntado nada al respecto del famoso tropezón de Colón (como diría el Dr. Leopoldo Zea), es a las víctimas de este trascendental evento, es decir, a los indígenas, quienes vieron sus civilizaciones destruidas, sus pueblos arrasados, sus poblaciones sometidas a la servidumbre y al genocidio, y sus culturas aplastadas; para los pueblos indios de América, el "descubrimiento" de unos o el "encuentro" de otros ha sido sencillamente una invasión cuyos efectos aún no terminan y que instauró para ellos un largo y oscuro período de opresión y explotación del cual todavía no están liberados.
>
> Más allá de los diplomáticos quehaceres del rey de España o de las doctas tesis de los académicos, la celebración del V centenario habrá de servir también para revalorizar a las culturas indígenas del continente (que están mucho más vivas y dinámicas de lo que se admite generalmente) y para dar a éstas el legítimo lugar que les corresponde en la historia de América y en las sociedades contemporáneas.

Resultado obvio, de la atenta lectura de buena parte de las noticias y comentarios que se publican en la prensa y en las revistas de éste y del otro lado del Atlántico, es que los enfoques respectivos están signados por diferencias que van más allá de lo semántico, del bizantinismo nominalista y de los memoriosos agravios o autocomplacencias a cuenta de la historia de más de cuatro siglos. Quienes hablan y escriben desde esta porción del hemisferio occidental que José Martí denominó en el siglo XIX "nuestra América" (para diferenciarla de la generalizadoramente caracterizada "América" que es la que los Estados Unidos sigue imponiendo *pro domo sua* desde los tiempos de Thomas Jefferson), preservan en buena parte argumentos de acrimonia y reproche. Esto es más notable en los países donde hay predominancia de etnias indígenas y a despecho de mayores o menores cuotas de mestizaje (México, América Central, Bolivia, Perú, Ecuador y Colombia).

El 1o. de julio de 1987, al término de la quinta asamblea del Consejo Mundial de Pueblos Indígenas, realizada en Lima, Perú, con asistencia de delegados de 600 grupos indígenas americanos, la resolución con que culminaron seis días de deliberaciones rechazó "el caracter festivo" de la efeméride y propugnó "dejar al descubierto los efectos destructivos —y autodestructivos— que puso en marcha el pretendido descubrimiento". En la ocasión, el coordinador del Consejo Indígena de Sudamérica (CISA), Asunción Untiveros —quien protagonizó al líder rebelde guaraní en el filme "La misión" del estadunidense Roland Joffe, explicó que "la mayoría de las delegaciones repudia la iniciativa del gobierno español de celebrar el llamado descubrimiento de América, porque lo consideramos el inicio del genocidio que padecimos y aún padecen los pueblos indígenas de América".

Untiveros anunció que las organizaciones indígenas del continente iban a desarrollar una serie de actividades tendientes a lograr que los gobiernos deroguen las leyes que declaran el 12 de octubre como "día de la raza", "día del descubrimiento" o "día de Colón"; añadió: "también esperamos que el pueblo español descubra y reconozca la existencia de nuestros pueblos y que se incorporen nuestra historia y nuestros valores a la historia universal". Con la misma orientación el Consejo Mundial de Pueblos Indígenas, organización no gubernamental acreditada ante las Naciones Unidas, censuró la adhesión del gobierno de Alan García a las conmemoraciones de 1992 y resolvió "denunciar como irrespeto a la dignidad de nuestros pueblos y del continente, la sistemática intención de celebrar como acontecimientos globales positivos aquellos que constituyeron una serie de exterminios parciales y agresiones sucesivas a través de cinco siglos".

Y el mensuario *Pueblo Indio* vocero de CISA, editorializó que "en 1992 el mundo indígena no celebrará la invasión (*sic*) española, sino el advenimiento del Pachacutti, un cambio hacia la recuperación de nuestras formas colectivas y comunitarias; nos estamos movilizando, organizando, volviendo a ser nuevamente; pero no somos revanchistas ni queremos llorar sobre el pasado". Empero no es España la única fustigada. En Brasil no son menos las furias y quebrantos en relación con el papel de Portugal y Holanda, sus principales colonizadores. Y en lo tocante a Estados Unidos, guardadas las debidas distancias de tiempo y protagonismo, los indigenólogos de dentro y de fuera no le recatan censuras, como lo revela un artículo de Andrés Ortiz titulado "Capitalismo y etnocidio", publicado en la revista *México Indígena*, del Instituto Nacional Indigenista.

Ortiz insiste en las cifras del etnocidio registrado al norte y al sur del río Bravo (que los estadunidenses llaman el río Grande):

> A principios del siglo XVI el continente americano tenía unos cien millones de habitantes desde Alaska hasta Tierra del Fuego, de los cuales diez o doce millones poblaban el territorio de lo que es hoy Estados Unidos; pues bien, en este último caso y según el censo oficial de 1980 los sobrevivientes sumaban apenas 230 mil. De más parecería recordar que a diferencia del mestizaje protagonizado por los españoles, jamás hubo en la Norteamérica sajona hibridación de caucásicos e indígenas. De ahí que, ante el anuncio de festejos alusivos al "descubrimiento", por celebrarse en Chicago, agrupaciones indígenas hayan protestado con la consigna de "¿vamos a celebrar nuestro exterminio?"

Jorge Luis Borges se contaba entre los que tomaban el pelo a lo encontrado por Colón. Recordamos que en la primera disertación que ofreció en público y venciendo su inveterada timidez, allá por 1947, en los sótanos de la librería Juan Cristóbal de Buenos Aires, mencionó al noruego Leif Erikson como "verdadero descubridor" de América, y abundó en referencias acerca de las sagas islandesas respecto de las que dijo que era un "modesto glosador", para concluir que en todo caso Colón "incurrió en el tropezón mayor de su vida y para colmo le birlaron la gloria de su accidente".

Citó Borges parcialmente la célebre mención de Colón acerca de cómo el oro puede lograr que las almas tengan ingreso al paraíso, para acotar con divertida sorna que el idealista genovés si es que no era un judío de Mallorca que por eludir la expulsión decretada por Fernando y su consorte Isabel se disfrazó de marinero de Andalucía, tenía mucho más en cuenta "las montañas maravillosas del áureo metal que recogería en Cathay y Cipango" que no las glorias y famas de descubridor de mundos nuevos, hasta el grado de que en la epístola de marras menciona la mágica palabra no menos de ochenta veces.

Colón no iba a ser el único en devanarse el magín por obtener un modo fácil y copioso de allegarse el oro, ni tampoco un solitario o excepcional encomiador de sus virtudes. De modo similar rebosa en textos de sus tiempos y de los posteriores. El franciscano fray Bernardino de Sahagún, en su *Historia general de las cosas de la Nueva España*, sin las computadores actuales a su disposición, ennumera la palabreja al tiempo que enhebra la descripción del conquistador de México y sus proezas.

> Y Motecuhzoma luego envía, presenta (a Hernando Cortés) a varios principales [. . .] Le fueron a encontrar a la inmediación de Popocatépetl [. . .]
>
> Les dieron a los españoles banderas de oro, banderas de plumas de quetzal, y collares de oro. Y cuando les hubieron dado esto, se les puso risueña la cara, se ale-

graron mucho, estaban deleitándose. Como si fueran monos levantaban el oro, como que se les renovaba y se les iluminaba el corazón.

Como unos puercos de la tierra, puercos hambrientos, ansían el oro.

Y las banderas de oro las arrebatan ansiosos, las agitan de un lado y a otro, las ven de una parte y de otra. Están como quien habla lengua salvaje; todo lo que dicen, en la lengua salvaje es. (Libro XII, cap. XII)

El relato sigue a los "descubridores" a su llegada a Tenochtitlan.

Y Motecuhzoma luego los va guiando. Lo rodeaban, se apretaban a él [. . .] lo van apretando, lo van llevando en cerco.

Y cuando hubieron llegado a la casa del tesoro, llamada Teucalco, luego se sacan afuera todos los artefactos tejidos de pluma de quetzal [. . .] escudos finos, discos de oro, los collares de ídolos, las lunetas de la nariz, hechas de oro, las grabas de oro, las ajorcas de oro, las diademas de oro.

Inmediatamente fue desprendido de todos los escudos de oro, lo mismo que de todas las insignias. Y luego hicieron una gran bola de oro, y dieron fuego, encendieron, prendieron llama a todo lo que restaba, por valioso que fuera: con lo cual todo ardió.

Y en cuanto al oro, los españoles lo redujeron a barras [. . .]

Y anduvieron por todas partes, anduvieron hurgando, rebuscaron la casa del tesoro, los almacenes, y se adueñaron de todo lo que vieron, de todo lo que les pareció hermoso.

Van ya en seguida a la casa de almacenamiento de Motecuhzoma. Allí se guardaba lo que era propio de Motecuhzoma [. . .] Tal como si unidos perseveraran allí, como si fueran bestezuelas, unos a otros se daban palmadas: tan alegre estaba su corazón.

Y cuando llegaron, cuando entraron a la estancia de los tesoros, eran como si hubieran llegado al extremo. Por todas partes se metían, todo codiciaban para sí, estaban dominados de avidez [. . .]

Todo lo cogieron, de todo se adueñaron, todo lo arrebataron como suyo, todo se apropiaron como si fuera su suerte. (Libro XII, cap. XVII y XVIII)

Después de que el pueblo de los meshicas se ha rendido y huye en masa de Tenochtitlan:

Los españoles, al borde de los caminos, están requisionando a las gentes. Buscan oro [. . .]

Cuando hubo cesado la guerra se puso (Cortés, otra vez) a pedirles oro. El que habían dejado abandonado en el canal de los toltecas, cuando salieron y huyeron de Meshico.

Entonces el capitán convoca a los reyes y les dice:

—¿Dónde está el oro que se guardaba en Meshico?

Entonces vienen a sacar de una barca todo el oro. Barras de oro, diademas de oro para los brazos, bandas de oro para las piernas, capacetes de oro, discos de oro. Todo lo pusieron delante del capitán. Los españoles vinieron a sacarlo. Luego dice el capitán:

—¿No más ese es el oro que se guardaba en Meshico. Tenéis que presentar aquí todo. Busquen los principales [. . .]

Oro. . . oro. . . oro. (Libro XII, cap. XL y XLI)

Esto estaba justificado no solamente por la codicia individual o colectiva, avidez y avaricia sin freno, sino hasta por las propias disposiciones del Papado, según las bulas iniciales del 3 y 4 de mayo de 1493: "La política papal en este género de cuestiones, reposaba esencialmente en este principio: que los paganos y los infieles no poseen legítimamente ni sus tierras ni sus bienes, y que los hijos de Dios (que a su juicio sólo lo eran los españoles y portugueses volcados al mar) tienen el derecho de quitárselos". (J. W. Draper, *Historia del desarrollo intelectual de Europa.*)

El espantable escriba Juan Ginés de Sepúlveda producirá en 1547 y en latín docto su *Tratado sobre las justas causas de la guerra contra los indios*, en el que razonará las sinrazones de cristianísimos conquistadores; según la edición bilingüe de Fondo de Cultura Económica (México, 1941) que a continuación citamos, todo les era lícito porque tales eran las encomiendas de Dios y de sus vicarios terrenales; pero además, porque los bárbaros, impíos y satánicos naturales eran harto merecedores de ello.

> Con perfecto derecho los españoles imperan sobre estos bárbaros del Nuevo Mundo e islas adyacentes, los cuales en prudencia, ingenio, virtud y humanidad son tan inferiores a los españoles como los niños a los adultos, y las mujeres a los varones, habiendo entre ellos tanta diferencia como la que va de gentes fieras a gentes clementísimas [. . .] estoy por decir que de monos a hombres (p. 101).
>
> Hombrecillos en los cuales apenas encontrarás vestigios de humanidad; que no sólo no poseen ciencia alguna, sino que ni siquiera conocen las letras ni conservan monumento de su historia sino cierta obscura y vaga reminiscencia de algunas cosas consignadas en ciertas pinturas, y tampoco tienen leyes escritas, sino instituciones y costumbres bárbaras (p. 105).
>
> Tales gentes son siervos por naturaleza [. . .] barbarie e innata servidumbre (p. 109).
>
> Hombrecillos tan bárbaros, incultos e inhumanos [. . .] (p. 111)
>
> Bárbaros, pues, violadores de la naturaleza, blasfemos e idólatras (p. 145).
>
> ¿Cómo hemos de dudar que estas gentes tan incultas, tan bárbaras, contaminadas con tantas impiedades y torpezas han sido justamente conquistadas por tan excelente, piadoso y justísimo rey como lo fue Fernando el Católico y lo es ahora el César Carlos, y por una nación humanísima y excelente en todo género de vir-

tudes? (p. 113).

¿Qué cosa pudo suceder a estos bárbaros más conveniente ni más saludable que el quedar sometidos al imperio de aquellos cuya prudencia, virtud y religión los han de convertir, de bárbaros tales que apenas merecían el nombre de seres humanos, en hombres civilizados en cuanto pueden serlo; de torpes y libidinosos, en probos y honrados; de impíos y siervos de los demonios, en cristianos y adoradores del verdadero Dios? (p. 133).

Están obligados estos bárbaros a recibir el imperio de los españoles conforme a la ley de naturaleza [. . .] Y si rehusan nuestro imperio, podrán ser compelidos por las armas a aceptarle [. . .] siendo además tan grande la ventaja que, en ingenio, prudencia, humanidad, fortaleza de alma y de cuerpo y toda virtud, hacen los españoles a estos hombrecillos, como la que hacían a las demás naciones los antiguos romanos (p. 135).

Creo que los bárbaros pueden ser conquistados con el mismo derecho con que pueden ser compelidos a oír el Evangelio (p. 139).

Conviene añadir a la doctrina y a las amonestaciones las amenazas y el terror, para que se aparten de las torpezas y del culto de los ídolos (p. 147).

La guerra que los nuestros hacen a esos bárbaros no es contraria a la ley divina y está de acuerdo con el derecho natural y de gentes, que ha autorizado la servidumbre y la ocupación de los bienes de los enemigos (p. 161).

La justa guerra es causa de justa esclavitud, la cual, contraída por el derecho de gentes, lleva consigo la pérdida de la libertad y de los bienes (p. 167).

No hay ninguna razón de justicia y humanidad que prohiba, ni lo prohibe tampoco la filosofía cristiana, dominar a los mortales que están sujetos a nosotros, ni exigir los tributos que son justo galardón de los trabajos, y son tan necesarios para sostener a los príncipes,

> a los magistrados y a los soldados, ni que prohiba tener siervos (p. 176).
>
> Estc es el orden natural que la ley divina y eterna manda observar [. . .] Y tal doctrina (se confirma) no solamente con la autoridad de Aristóteles [. . .] sino también con las palabras de Santo Tomás (p. 153).

De todos modos y como lo observa Alejandro Lipschutz en *Conquista y mestizaje en América y el problema racial*, el modo racional de vivir de estos mismos indios probaba que "no son osos ni monos y que no carecen totalmente de razón" (p. 109); y aunque se trataba de "infelices" nacidos "para servir y no para mandar" (p. 157), después de todo eran "prójimos nuestros" (p. 127). Menos mal.

¿Valdría una vez más apelar a la inevitable *Brevísima relación de la destrucción de las Indias* (Colegida por el Obispo Don Fray Bartolomé de las Casas, o Casaús, de la Orden de Santo Domingo, Año 1552), a quien se atribuye la máxima responsabilidad por la supuesta "leyenda negra" con la que hasta hoy es conocida España en materia de "madre patria"? Creemos que sí cabe:

> La causa porque han muerto y destruido tantas y tales y tan infinito número de ánimas los cristianos, ha sido solamente por tener por su fin último el *oro* y henchirse de riquezas en muy breves días y subir a estados muy altos y sin proporción a sus personas (conviene a saber): por la insaciable codicia y ambición que han tenido, que ha sido mayor que en el mundo pudo ser, por ser aquellas tierras tan felices y tan ricas, y las gentes tan humildes, tan pacientes y tan fáciles de sujetarlas, a las cuales no han tenido más respeto ni de ellas han hecho más cuenta ni estima (hablo en verdad por lo que sé y he visto todo el dicho tiempo), no digo que de bestias (porque pluguiera a Dios que como a bestias las hubieran tratado y estimado), pero como a menos que estiércol de las plazas. Y así han curado de sus vidas y de sus ánimas, y por eso todos

> los números y cuantos dichos han muerto sin fe y sin sacramentos. Y esta es muy notoria y averiguada verdad, que todos, aunque sean los tiranos y matadores, la saben y confiesen, que nunca los indios de todas las Indias hicieron mal alguno a los cristianos, antes los tuvieron por venidos del cielo, hasta que primero, muchas veces, hubieron recibido de ellos o sus vecinos muchos males, robos, muertes, violencias y vejaciones de ellos mismos.

Mucho más al sur del "Nuevo Mundo", en las altiplanicies del Virú (Perú), otro historiador-ilustrador, Guaman Poma de Ayala, relatará con dolida voz en *Nueva Crónica* con desesperadas conclusiones: no hay remedio:

> Los indios temen a los corregidores, porque son peores que sierpes, comen gente, porque les comen la vida y las entrañas, y les quitan sus haciendas como un animal bravo; puede más que todos y a todos vence; y no hay remedio.
>
> A los encomenderos les temen porque son leones, que cuando cogen presa no la perdonan, con las uñas que tienen. Siendo animal más bravo no perdona ni agradece al pobre. Y no hay remedio.
>
> A los padres de la doctrina les temen los indios, porque son mansos como zorras y lenciados que saben más que las zorras cuando se trata de robar sus haciendas, mujeres e hijos. Por estos les llaman letrados porque el buen zorro es doctor y letrado. Y así destruyen a los indios de este reino, y no hay remedio.
>
> A los escribanos les temen los indios porque son gatos cazadores, asechan, trabajan y una vez que los cogen no dejan ni moverse al pobre ratón. En la misma forma asechan las haciendas de los pobres indios hasta cogerlos. Y no hay remedio para los pobres indios.
>
> Los indios temen a los pasajeros españoles de los tambos, porque son bravos como los tigres, y cuando llegan al tambo obligan al mitayo que les sirva, le piden

cuenta de lo que tienen y se lo gastan y no pagan, sin tener en cuenta si es alcalde, cacique principal o pobre indio. Les dan de palos y les quitan cuánto tienen y se lo llevan. Son peores que los otros animales. Y no hay remedio para los pobres indios.

Los caciques principales, sean indios bajo mandoncillos de diez indios, y los que tienen a su cargo cinco, se hacen kurakas principales. A estos les temen los pobres indios, porque son ratones, hurtan de día y de noche sus haciendas sin que nadie los sienta hurtar. Piden, además la tasa, plata y comida y gastan de lo que es de la comunidad. Son más perniciosos que los demás animales, porque no cesan de robar de día ni de noche. Y no hay remedio para los pobres indios.

Y así como todos estos animales no lo dejan ni moverse al indio, estos ladrones se ayudan unos a otros. Y si el cacique principal defiende al pobre indio, lo atacan y lo matan.

Este transido relato lo ilustra una lámina en que aparecen todos los animales indicados "asechando" a un indio que, de rodillas y con las manos juntas sobre el pecho implora: "¡Amayari llapallaykichik llatanawaychu dios rayku!" ("¡Por amor de Dios, no me desnudéis todos vosotros!")

Con ser poderosos e influyentes, los Sepúlveda fueron contrariados por los lascasianos pero además por otros clérigos de alta sabiduría y no menguado discernimiento. El salmantino fray Francisco de Vitoria, en sus *Relaciones teológicas (Relectio de Indis*, 1538), postula en escolástico latín que el Emperador (Carlos V) no era ni podía serlo de todo el orbe, por carecer de título jurídico y teológico para respaldar tamaña pretensión. Rechaza además que el Papa pudiera conceder tierras ajenas, por carecer de potestad temporal sobre las tierras que no le pertenecían como patrimonio propio; desmiente la posibilidad de invocar el derecho de ocupación fundado en el "descubrimiento" o por el título romano de la ocupación, puesto que las tierras de los indios estaban pobladas y sus habitantes ejercían lícitamente todos los derechos de soberanía y propiedad. De ahí que no pudiesen serles arrebatadas ni siquiera con el pretexto de que eran "infieles" o porque se negaran a aceptar la evangelización: "Los príncipes cristianos, ni aún mediando la autoridad del Papa, pueden apartar a los bárbaros de los pecados contra la ley natural y no es su misión castigarles por ellos".

Según Vitoria, no corresponde otro principio de aplicación o de reconocimiento, que el de la escogencia independiente y autónoma, libremente consentida y aceptada agregaríamos: "Otro título puede obedecer a una verdadera y voluntaria elección si los bárbaros, por ejemplo, comprendiendo la humanidad y sabia administración de los españoles, libremente quisieran, tanto los señores como los demás, recibir por príncipe al rey de España. Esto se puede hacer y sería título legítimo y de ley natural [. . .]" Pero para que "tal elección sea válida —añade, valerosamente para la época—, debían hallarse ausentes el miedo y la ignorancia, que vician toda elección".

¿Humanidad y sabia administración de los españoles? ¿Cuántas enciclopedias podrían nutrirse de referencias y documentación históricas válidas para refrendar su generalizada inexistencia, prolongada durante siglos no obstante las solitarias voces de protesta y repudio? Podríamos resumirlas con algunos de los conceptos vertidos por otro clérigo, Juan Pablo Vizcardo y Guzmán (*Cartas a los españoles americanos*), uno de los pensadores pioneros del independentismo americano, párrafos que son al propio tiempo una caracterización del papel de España en el "Nuevo Mundo":

> En fin, bajo cualquier aspecto que sea mirada nuestra dependencia de la España, se verá que todos nuestros deberes nos obligan a terminarla. Debemos hacerlo por gratitud a nuestros mayores, que nos prodigaron su sangre y sus sudores, para que el teatro de su gloria o de sus trabajos, se convirtiese en el de nuestra miserable esclavitud. Debémoslo nosotros mismos por la

obligación indispensable de conservar los derechos naturales, recibidos de nuestro Criador, derechos preciosos que no somos dueños de enajenar, y que no pueden sernos quitados sin injusticia bajo cualquier pretexto que sea. ¿El hombre puede renunciar a su razón, puede ésta serle arrancada por fuerza? La libertad personal no le pertenece menos esencialmente que la razón. El libre uso de esos mismos derechos es la herencia irrenunciable que debemos dejar a nuestra posteridad.

Sería una blasfemia el imaginar que el supremo bienhechor de los hombres haya permitido el descubrimiento del Nuevo Mundo, para que un corto número de pícaros imbéciles fuesen siempre dueños de desolarles, y de tener el placer atroz de despojar a millones de hombres, que no les han dado el menor motivo de queja, de los derechos esenciales recibidos de su mano divina; el imaginar que su sabiduría eterna quisiera privar, al resto del género humano, de las inmensas ventajas que en el orden natural debía procurarles un evento tan grande, y condenarle a desear que el Nuevo Mundo hubiese quedado desconocido para siempre.

Esta blasfemia está sin embargo, puesta en práctica por el derecho que la España se arroga sobre la América; y la malicia humana ha pervertido el orden natural de las misericordias del Señor, sin hablar de la justicia debida a nuestros intereses particulares para la defensa de la patria. Nosotros estamos obligados a llenar, con todas nuestras fuerzas, nuestras esperanzas de que hasta aquí el género humano ha estado privado. Descubramos otra vez de nuevo la América para todos nuestros hermanos, los habitantes de este globo, de donde la ingratitud, la injusticia y la avaricia nos han desterrado. La recompensa no será menor para nosotros que para ellos.

Ni el vaticinio ni el propósito del abate Vizcardo se cumplieron. La España de hoy, como la España de ayer, siguen en deuda con América, Nuestra América.

GRÁFICA

emancipación
e identidad
de américa
latina
1492
1992
Ulises.

ULISES

ULISES

TAMBIÉN HAY QUE DEFINIR QUÉ POSICIÓN VAMOS A TOMAR SOBRE LAS INVERSIONES EXTRANJERAS...

¡QUÉ GENTE TAN INFORMAL: YA ES 10 DE OCTUBRE Y NO LLEGAN A DESCUBRIRNOS!

¡TENEIS QUE APURAROS PARA LLEGAR A LAS INDIAS EXACTAMENTE EL DIA DE LA RAZA!

ULTIMOS LOTES A SOLO 10 HORAS DE GRAN TENOCHT.
VENDO TERRENOS
TERRENOS
INFORMES AQUI

RÍUS

CIVILIZAC
OCCIDENTAL
&
CRISTIAN
LEX
AMAOS
LOS UNOS
A LOS
OTROS
©PALOMO

PALOMO

LUFTHANSA
SANYO
LO DEL DESCUBRIMIENTO ES DISCUTIBLE, SOMOS MUY SINCRÉTICOS
BRITISH AIRWAYS
ALFA
MALBORO
SWISS BANK
COCACOLA
VOLVO
LOIS
COBRA
MANUEL

MIRA QUE ÍDOLO MÁS RIDICULO ADORAN ESTOS SALVAJES
PADRE... ¡¡ES DE ORO!!

MANUEL

¡COÑO!
ESTO SABE A
Mc DONALD

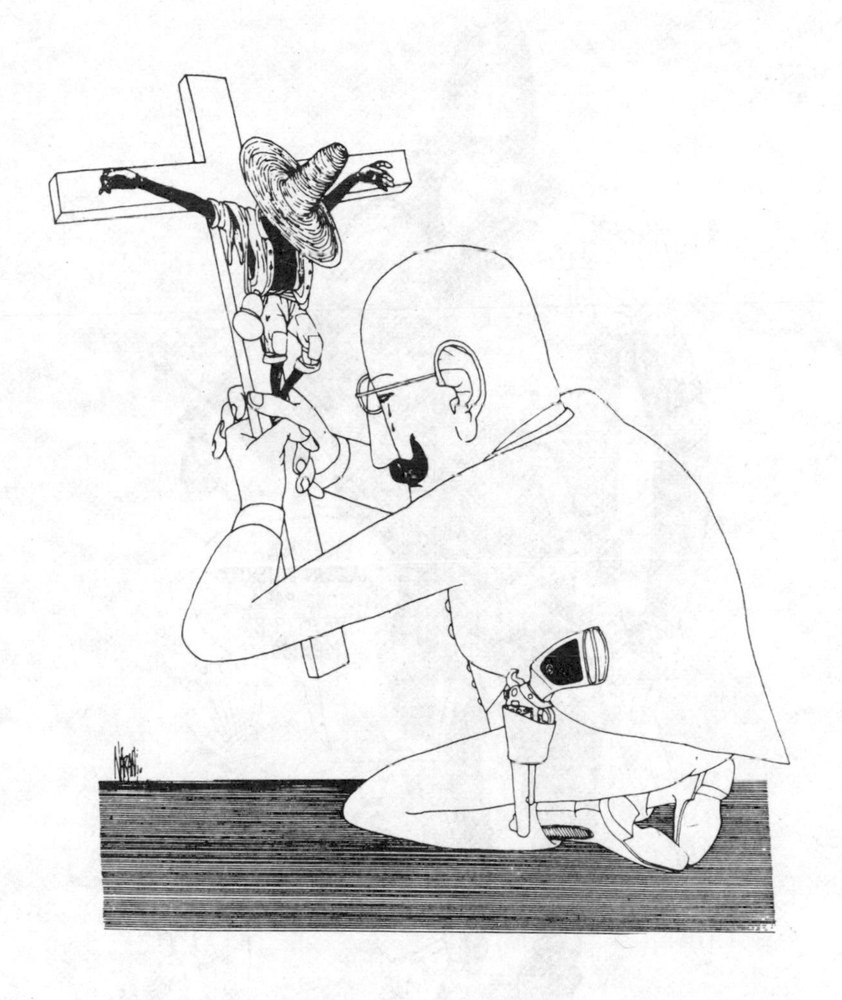

DICE QUE TRAE UN DINERITO OCIOSO PARA INVERTIR EN MÉXICO

NARANJO

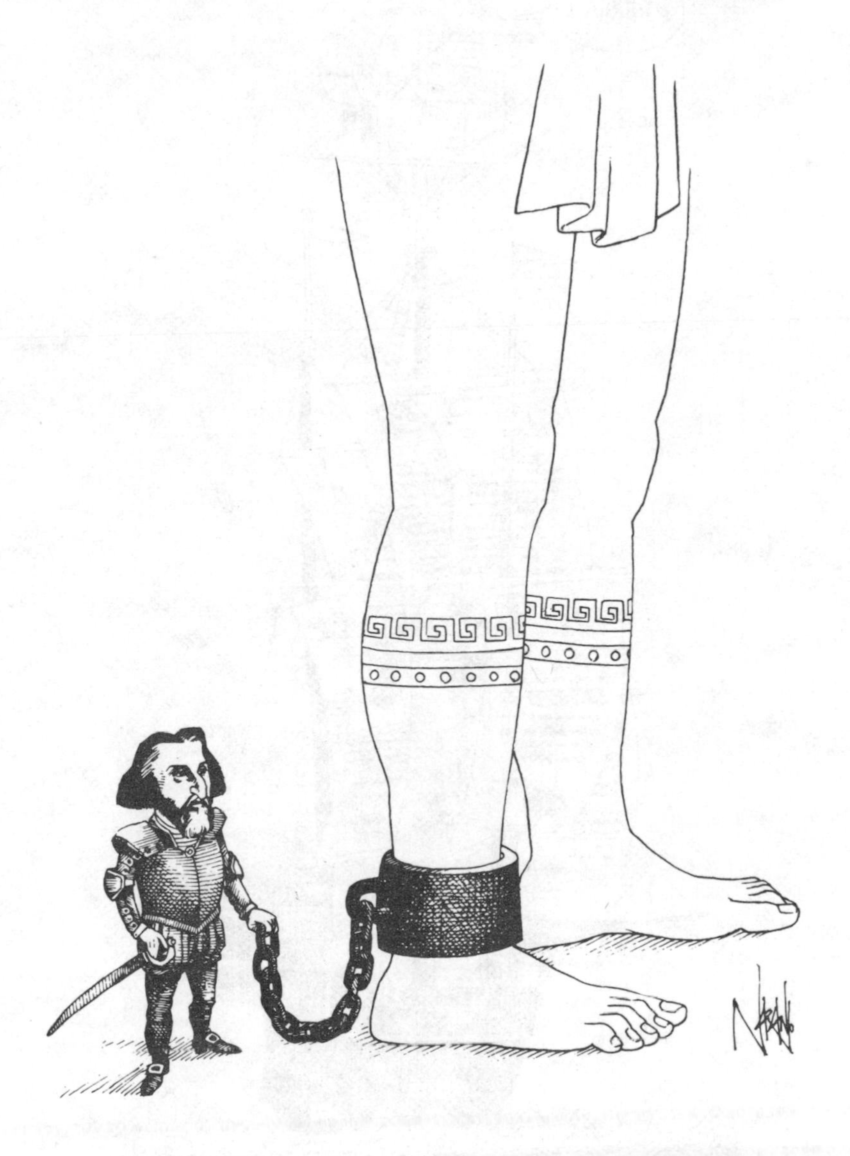

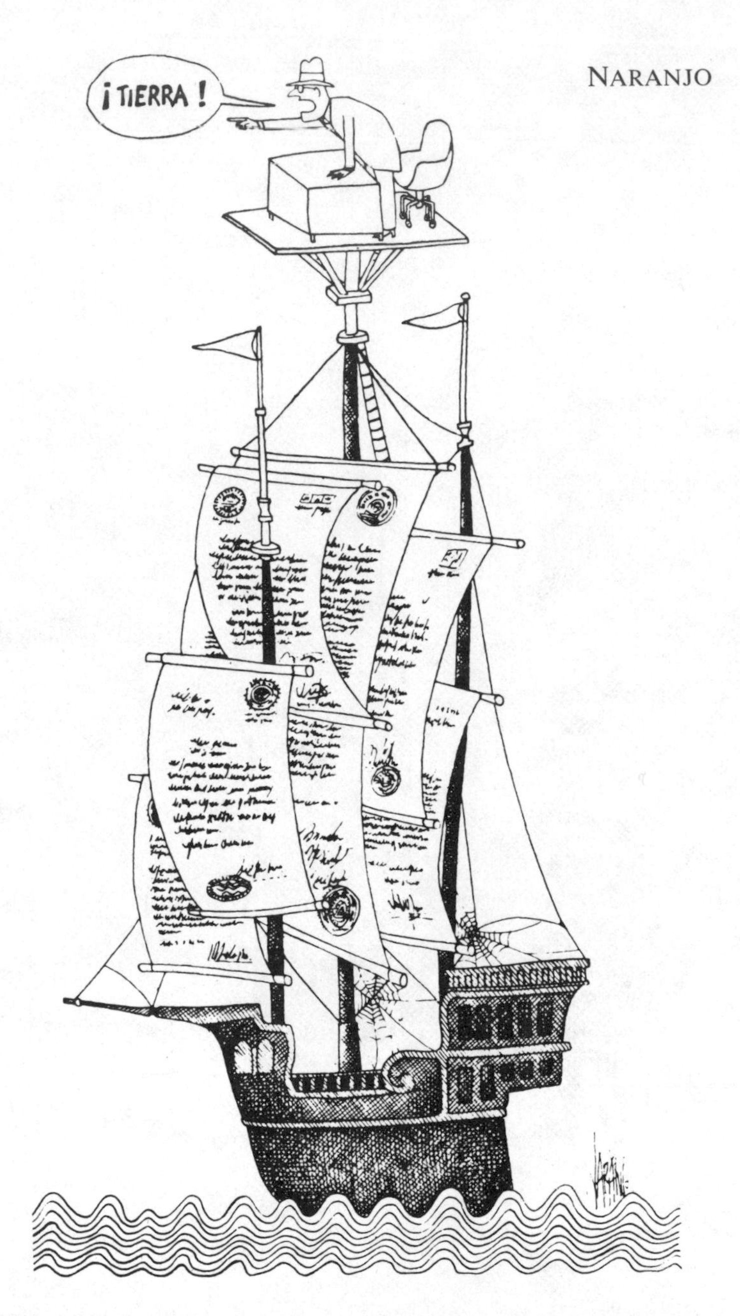
NARANJO
¡TIERRA!

NARANJO
PERO... ¿NO SABIAN QUE HAY UN INSTITUTO INDIGENISTA?

Naranjo

PORQUE
NO TENEMOS
NADA....
TODO LO
TENEMOS
QUE HACER.

LATINO AMÉRICA: LA PATRIA GRANDE, ...LAS REPÚBLICAS PEQUEÑAS

Y A MÍ
ENCIMA DE
TODO ME
TIENE QUE
PAGAR
LA DEUDA Y
LOS INTERESES
OKI

"LOS ALFONSÍN"
LA
Por Rep
¡BUENO, GENTE, YA ESTOY CASI LISTO!
ESPERÁ ABUELO, PONETE ESTO.
ES NUESTRO REGALO.
¿UN REGALO? CHICOS, NO SE HUBIERAN...
NO TE PREOCUPES QUE LO PAGA EL PUEBLO.
¿?
¿UN TRAJE ROJO?
CLARO, ¿NO VAS A CUBA Y A RUSIA VOS?
¡UY, QUE PINTA DE COMUNISTA! ¡TENÉ CUIDADO A VER SI TE VE ALFONSÍN!
ESTE MODELITO LE VA A ENCANTAR A FIDEL.
Y A GORBA
¡UN TRAJE ROJO!
¡Y A FELIPE GONZÁLEZ, SEGURO! ¿NO VAS A ESPAÑA TAMBIÉN?
SÍ.
TE VOY A DAR UN CONSEJO DE NIETO, ENTONCES
NO VAYAS A UNA CORRIDA DE TOROS CON ESE TRAJE ROJO...
¿OTRA VEZ A ESPAÑA? YA FUISTE COMO TRES VECES
Y, ES LA AUSTERIDAD RADICAL
ABUELO, TAMBIÉN TE TRAJIMOS ESTO PARA CUANDO BAJES EN BARAJAS.
QUEREMOS QUE LO ABRAS BIEN ASÍ LO VEN TODOS LOS ESPAÑOLES.
¿QUÉ ES ESTO? ¡USTEDES ESTÁN LOCOS!
ABAJO EL DÍA DE LA RAZA
¿LOCOS? LO QUE QUEREMOS ES VOLVER A SER INDIOS
ESO, NI SIQUIERA LATINOAMERICANOS: A-ME-RI-CA-NOS.
ABAJO EL DÍA
¡POR ESE MALDITO COLÓN TENEMOS QUE PAGAR LA DEUDA EXTERNA!
¡Y HABLAR EN ESPAÑOL!
¡Y ESTUDIAR INGLÉS PORQUE EL ESPAÑOL NO SIRVE!
¡MALDITO 12 DE OCTUBRE! ÉRAMOS TAN FELICES...
¡ESOS COLONIZADORES QUE VINIERON A ROBAR, A MATAR!
¡A COLONIZAR!
¿TE IMAGINÁS LO QUE SERÍA? VOS, JEFE DE UNA TRIBU.
TODOS EN BOLA
¡Y SIN LA IGLESIA! ¡QUÉ FELICIDAD!
CRISTOBAL COLÓN NOS TRAJO LA CRUZ, LA LATINIDAD, EL "LE MONDE DIPLOMATIQUE", LAS MINICOMPUTERS, CALVIN KLEIN, LA P2, "IL CORRIERE DEI PICCOLI", LAS SALCHICHAS DE VIENA, EL PRÍNCIPE CARLOS Y LADY DI... ¡YO QUIERO SER UN INDIO!
12 DE OCTUBRE DÍA DE LA RAPIÑA
DALE, DESENVOLVÉ ESTE CARTEL EN MADRID. JUGATE UNA VEZ EN LA VIDA.
¡NO!
LA ÚNICA VERDAD ES LA REALIDAD, Y LA REALIDAD ES QUE FUIMOS CIVILIZADOS Y SE ME VA EL AVIÓN.

APEBAS

EKO

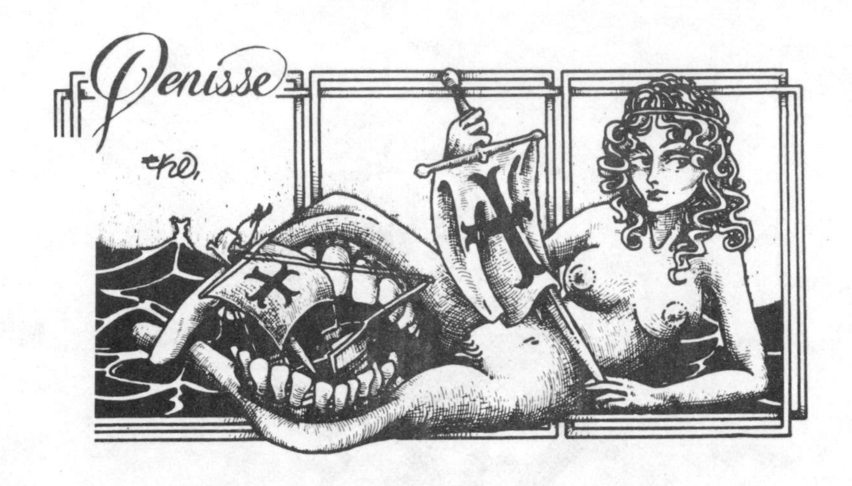

"Defender la dignidad latinoamericana."

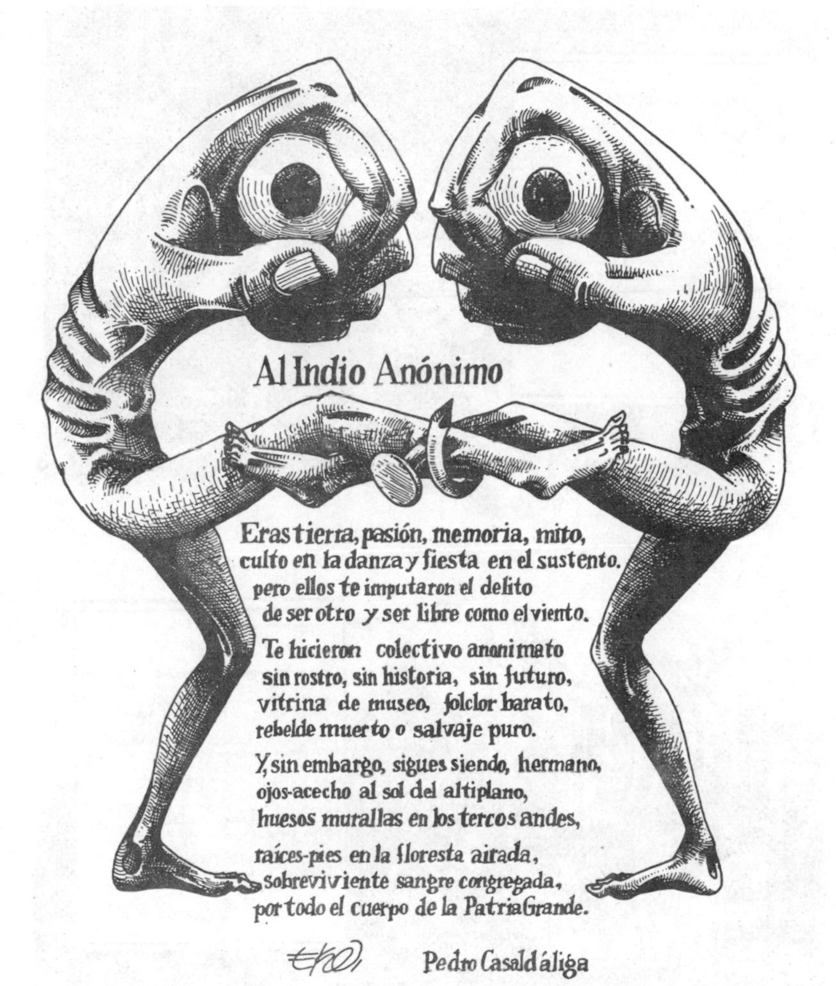
Al Indio Anónimo
Eras tierra, pasión, memoria, mito,
culto en la danza y fiesta en el sustento.
pero ellos te imputaron el delito
de ser otro y ser libre como el viento.
Te hicieron colectivo anonimato
sin rostro, sin historia, sin futuro,
vitrina de museo, folclor barato,
rebelde muerto o salvaje puro.
Y, sin embargo, sigues siendo, hermano,
ojos-acecho al sol del altiplano,
huesos murallas en los tercos andes,
raíces-pies en la floresta airada,
sobreviviente sangre congregada,
por todo el cuerpo de la Patria Grande.
Pedro Casaldáliga

AL CONQUISTADOR ANÓNIMO
Cierzo y candil, tocino y vino rancios,
tu geografía te encuadra en tres
todos los altercados y cansancios:
la plaza, la bodega y el ciprés.
Pastor de puercos, plantador de esperas,
ahito de servir o de soñar,
de pronto se te abrieron las fronteras
y te sentiste dueño de la mar.
Venías por el rey, por la fortuna,
perdones y oro codiciando a una,
héroe y bandido mitad por mitad.
Pobre traído para matar pobres,
dejabas, entre lágrimas salobres,
conquistas de embarazos y orfandad.
PEDRO CASALDÁLIGA
EKO

EKO
AL MISIONERO ANÓNIMO
Quizás no daba más tu teología,
del Reino y de un imperio servidor,
salvar y conquistar la pagania,
cruzado entre las armas y el Amor.
La espada tu Evangelio desmentía,
los yelmos apagaban tu fervor,
¡la mucha sangre de la Eucaristía
no era sólo la sangre del Señor!
¿Pudo la Pascua hacernos gente esclava?
¿Qué nueva libertad nos liberaba
en las violentas aguas del Bautismo?
¿Qué paz traían tus atadas manos?
¿Hacía de verdad hijos y hermanos
el Padre Nuestro de tu catecismo?
PEDRO CASALDÁLIGA

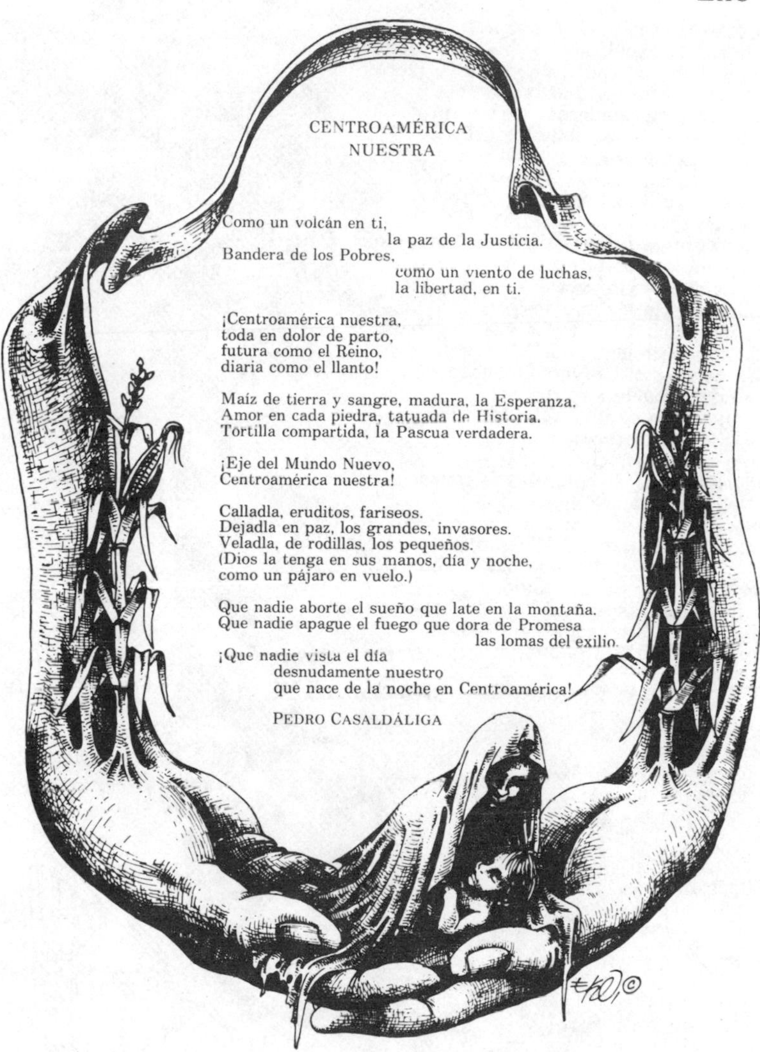

CENTROAMÉRICA
NUESTRA

Como un volcán en ti,
la paz de la Justicia.
Bandera de los Pobres,
como un viento de luchas,
la libertad, en ti.

¡Centroamérica nuestra,
toda en dolor de parto,
futura como el Reino,
diaria como el llanto!

Maíz de tierra y sangre, madura, la Esperanza.
Amor en cada piedra, tatuada de Historia.
Tortilla compartida, la Pascua verdadera.

¡Eje del Mundo Nuevo,
Centroamérica nuestra!

Calladla, eruditos, fariseos.
Dejadla en paz, los grandes, invasores.
Veladla, de rodillas, los pequeños.
(Dios la tenga en sus manos, día y noche,
como un pájaro en vuelo.)

Que nadie aborte el sueño que late en la montaña.
Que nadie apague el fuego que dora de Promesa
las lomas del exilio.

¡Que nadie vista el día
desnudamente nuestro
que nace de la noche en Centroamérica!

PEDRO CASALDÁLIGA

No más que pueblos en cierne...
no más que pueblos en bulbo eran aquellos
en que con maña sutil de viejos vividores
se entró el conquistador valiente,
y descargó su ponderosa herrajería,
lo cual fue una desdicha histórica
y un crimen natural.
El tallo esbelto debió dejarse erguido,
para que pudiera verse
luego en toda su hermosura
la obra entera y florecida de la Naturaleza.
¡Robaron los conquistadores
una página al Universo!
Aquellos eran los pueblos
que llamaban a la Vía Láctea
"el camino de las almas";
para quienes el Universo estaba
lleno del Grande Espíritu,
en cuyo seno se encerraba toda luz,
del arco iris coronado
como de un penacho,
rodeado, como de colosales faisanes,
de los cometas orgullosos,
que paseaban por entre el sol dormido
y la montaña inmóvil el espíritu de las estrellas;
los pueblos eran que no imaginaron
como los hebreos a la mujer
hecha de un hueso y al hombre hecho de lodo;
¡sino a ambos nacidos a un tiempo
de la semilla de la palma!

JOSÉ MARTÍ

EKO

ENTREVISTAS

TENER CONCIENCIA DE LA HISTORIA. . .

NOAM CHOMSKY

Las celebraciones oficiales hablan del Quinto Centenario del Descubrimiento de América•Encuentro de dos Mundos, ¿es ésta una manera correcta de referirse a la efeméride?

Sin duda hubo un encuentro de dos mundos. Pero la frase *descubrimiento de América* es obviamente errónea. Lo que descubrieron fue a una América descubierta miles de años antes por sus habitantes. Se trataba, por ende, de la invasión de América. La invasión de una cultura muy ajena.

¿Entonces, cuando los pueblos indígenas hablan de la conquista o de la invasión, están en lo correcto?

Esto sería obviamente el caso. Se puede descubrir un área inhabitada, mas no un lugar donde vive gente. Si yo hago un viaje a México no puedo escribir un artículo denominado "El descubrimiento de México".

El 12 de octubre de 1492, ¿es una fecha que debería o podría celebrarse, como dicen algunos?

Bueno, yo creo que se le debería poner atención; se trata de una fecha extremadamente importante en la historia moderna. Hay pocos sucesos en la historia moderna que hayan tenido tan formidables implicaciones; tan sólo en términos estadísticos, que no suelen decir mucho acerca de la realidad, un siglo y medio después de la conquista habían desaparecido casi 100 millones de seres humanos.

Esto es desproporcionado. Es difícil pensar en acontecimientos comparables en la historia humana. Por supuesto, los efectos de la conquista cambiaron de una manera realmente dramática al hemisferio occidental y, en consecuencia, a la civilización occidental. De ahí que, sin lugar a dudas, es un punto de viraje muy importante en la historia mundial. Sin embargo, celebrar es una palabra extraña. Yo no creo que celebraríamos la toma del poder por Hitler, por ejemplo, si bien y con toda seguridad le prestamos atención.

Cuando Colón llegó al hemisferio occidental, llamó a los habitantes indios, *porque pensó que estaba en las Indias. A quinientos años de haberse aclarado dicho error geográfico se sigue llamando* indios *a estas gentes, ¿por qué?*

Creo que esto refleja el desprecio general por los pueblos indígenas: si realmente no tenían ningún derecho de estar donde se encontraban, tampoco tendría mayor importancia cómo se les llamase. Los conquistadores podrían haber llamado a los animales que encontraron acá con nombres erróneos igualmente y a nadie le hubiera molestado demasiado.

La situación fue diferente en las distintas partes del hemisferio. Pero, por ejemplo, en las partes donde se asentaron los colonos ingleses o que hoy son las de habla inglesa, se impuso de hecho la ley no escrita vigente en Inglaterra, según la cual los habitantes de estas tierras no tenían derecho a ellas porque se trataba de cazadores-recolectores y no de pueblos sedentarios. Esto era completamente falso. Y así hubo muchas falsificaciones de los hechos para que éstos fueran *compatibles* con la ley.

Hasta los años setenta, por ejemplo, éramos informados por distinguidos antropólogos de que debíamos rechazar la información arqueológica y documental que demostraba muy claramente que se trataba de pueblos sedentarios y, dentro de los estándares de aquéllos, de civilizaciones relativamente avanzadas. Por el contrario, debíamos pretender que eran cazadores-recolectores y que, por ende; se trataba de muy poca gente: quizás un millón al norte del Río Grande, en lugar de los 10 millones o más, que era el número real.

Y si se preguntan por qué durante siglos se hicieron estas falsificaciones, la respuesta es, básicamente, que se trataba de asentar el principio de que la gente que vivía ahí no tenía ningún derecho sobre la tierra, dado que simplemente la atravesaba cazando, etc. y que, por ello, no había ningún problema moral o legal en quitarles su tierra y usarla para los europeos.

Yo creo que éstos son los fenómenos de trasfondo que resultan de la naturaleza de lo que estaba ocurriendo. En cuanto a los pueblos involucrados: si no tenían derecho a la tierra, no importaba quiénes eran, si venían de la India o de algún otro lugar.

Como resultado de los acontecimientos de los sesenta, ha habido una especie de cambio cultural real en los últimos veinte años. Mucho de lo que sucedió en los sesenta fue extremadamente sano y significativo; como parte de esto se hizo posible, por primera vez, enfrentarse a la pregunta acerca de lo que había pasado y lo que se había hecho a la población indígena, a la población de americanos nativos. Esto produjo alguna conciencia del significado racista de nuestra disposición de continuar en el uso de términos tales como "indios", como si no tuviera ninguna importancia quiénes fueran.

¿Cuál sería la actitud correcta de la gente y de los movimientos de solidaridad frente a 1992?

Bueno, creo que la actitud correcta del movimiento de solidaridad sería, sobre todo, enfrentarse honestamente a los hechos y tener una clara conciencia de ellos; utilizar la ocasión de 1992 para que se conozcan los hechos sobre la invasión europea del hemisferio occidental; las consecuencias de lo que pasó; las circunstancias de los pueblos indígenas; la forma en que han sido tratados desde entonces, todas esas matanzas y la opresión de los pueblos indígenas que comenzaron en 1493 y siguen hoy en día.

Lo único que se tiene que hacer es ver lo que sucede en

Guatemala o en las reservaciones del occidente de Estados Unidos o de uno a otro lado del hemisferio, para darse cuenta de que la persecución y la represión continúan debajo de nuestras narices, frecuentemente en una forma brutal.

La comprensión de lo que han significado estos últimos quinientos años no es simplemente cuestión de ponerse al tanto de la historia; es cuestión de ponerse al tanto de los procesos actuales. Pienso que el movimiento de solidaridad debería tratar de alcanzar, para sí mismo y para otros, la conciencia de estos hechos y tratar de establecer una base para ponerse al tanto de ellos de una manera honesta y humana por primera vez.

A partir de 1492 los pueblos latinoamericanos fueron integrados de manera dependiente al sistema mundial occidental, desde entonces, ¿han logrado recuperar su autonomía?

No. La relación entre los invasores y la población indígena fue diferente en las diversas partes de América. En ciertas áreas fue integrada de alguna manera y en otras la población nativa fue simplemente eliminada o desplazada y puesta en reservaciones. Entonces, las relaciones varían, pero el resultado final de todo esto es que la mayor parte del hemisferio se encuentra todavía subyugada.

Por razones que tienen que ver con la historia mundial, las partes de habla inglesa se volvieron potencias mundialmente dominantes, particularmente los Estados Unidos, que son la primera potencia realmente global en la historia, y América Latina ha estado muy subordinada al poder imperial occidental y a su violencia. Y esto sigue. Sigue en la crisis del endeudamiento externo; en las amenazas de intervención; en las formas altamente distorsionadas de desarrollo; en el retraso social, frecuentemente extremo, de muchas áreas que tienen una gran riqueza cultural. Todos estos son fenómenos que se han desarrollado en el transcurso de las interacciones de la historia mundial y han llevado, por varias razones, a una situación altamente dependiente y subordinada, de opresión, para la mayor parte del Continente.

¿Quiere esto decir que 1992 tiene un significado anti-colonial para la gente crítica y honesta?

1992 debería llevarnos también, y quizá nos lleve, a considerar la forma contemporánea de dominación en la esfera internacional. No reviste plenamente la forma del colonialismo tradicional pero presenta otros aspectos que deberían ser inaceptables para cualquier persona honesta. A menudo tiene consecuencias nefastas. Sería suficiente mirar los acontecimientos de Centro América durante la última década para ver cuán graves pueden ser estos efectos.

A la luz del maltrato que ha recibido el indígena estadounidense históricamente, ¿cómo se explica que el presidente Reagan se volviera defensor de los indios miskitos en Nicaragua?

Recuerden que Reagan, y no sólo Reagan sino todo el sistema ideológico estadunidense, defendía, o pretendía defender, a los Miskitos y estar muy molesto y preocupado por lo que les sucedía. Al mismo tiempo, Reagan y la gente que lo rodeaba aplaudía lo que pasaba en Guatemala; no sólo lo defendía sino que lo aplaudía y convocaba a apoyarlo. Y Reagan explicaba en 1982 que Ríos Montt era un hombre dedicado a la democracia, y oímos cosas similares del resto de aquella camarilla de Jeanne Kirkpatrick y demás.

Durante todo este período, George Shultz, Elliott Abrams, los partidarios de Reagan y muchos otros defendían y apoyaban los sucesos de Guatemala; sin lugar a dudas, no protestaron nunca de manera seria contra lo que pasaba allí. Mientras tanto, pretendían estar muy molestos y preocupados por lo que sucedía con los Miskitos. Los Miskitos fueron maltratados, no obstante también se encontraron entre los grupos indígenas mejor tratados en el hemisferio.

Si las demandas que hicieron en lo referente a su autonomía las que, obviamente, tienen mucha legitimidad, se hubieran hecho en cualquier parte más al norte, esta gente simplemente hubiera sido masacrada, en el caso de que su ridiculización no hubiera sido suficiente.

Cuando Reagan y el Departamento de Estado hablaban del trato bárbaro e inhumano a los Miskitos, posiblemente varias docenas de éstos habían muerto en conflicto con los sandinistas. Pero al mismo tiempo, alrededor de 70 u 80 mil personas fueron masacradas en el altiplano guatemalteco por las fuerzas armadas, por las potencias occidentales, apoyadas por Estados Unidos y defendidas por Ronald Reagan como gente muy buena y honesta que se preocupaba por la democracia. Hasta la fecha se sostiene que los militares guatemaltecos fueron injustamente acusados.

Y si vemos el trato que se da a los americanos nativos en Estados Unidos, entonces el trato a los Miskitos es muy respetuoso. De hecho, como decía, si algún grupo de americanos nativos en Estados Unidos expresara demandas comparables sobre su autonomía, y si su ridiculización [para neutralizarlos] no fuera suficiente, entonces serían simplemente aniquilados. Por eso, nadie puede considerar esto sino como la más extraordinaria hipocresía.

Históricamente el indígena estadunidense ha estado en el punto más bajo de la escala de prestigio social y étnico en su país, ¿ha cambiado esta situación en los últimos tiempos?

Sí, ha cambiado. Recuerdo muy bien cuando yo era niño. El juego favorito de los jóvenes entonces era *cowboys and indians*, ibas al bosque y pretendías que allí había indios. Era como ir a cazar, como ir a cazar animales. La cultura popular de aquel tiempo enfatizaba la concepción del indio como un salvaje traicionero o, quizás, que es otro aspecto de lo mismo, como un noble pero salvaje, que llevaba una vida primitiva antes de haber llegado a niveles de civilización mejores. Bueno, esto con seguridad ha cambiado, es decir, que el vulgar racismo de toda la historia hasta los años sesenta ha cambiado. Y ello, nuevamente, como resultado del impacto de los sesenta y la significativa mejora de los estándares culturales y morales que tuvo lugar durante esa época. Por otra parte, el americano nativo todavía es tratado de una manera abominable. Si quieren un ejemplo, revisen el excelente libro de M. Churchill, *Agents of Repression*, que trata de la guerra del FBI contra el *American Indian Movement* (Movimiento Indio Americano). Este es un ejemplo muy exacto y además relata eventos ocurridos recientemente, en la década del setenta.

¿O sea, que el indio *americano continúa en el fondo de la escala que establece el prejuicio racial?*

Sí, en lo referente a muchos estándares está en el punto más bajo y, de hecho, casi es considerado como inexistente.

Dentro de los festejos oficiales, se quiere traer la estatua de Colón desde Barcelona hasta Nueva York para casarlo *con la estatua de la Libertad. ¿Qué le parece esta idea?*

Colón fue uno de los principales especialistas en genocidio durante ese período. Además, y abstrayéndonos de sus propias prácticas que eran abominables, es ofensivo el simbolismo, porque sus viajes al hemisferio occidental iniciaron un período en el cual una población de decenas de millones de seres humanos fue, esencialmente, aniquilada. Llamar a esto libertad va más allá de cualquier cosa que George Orwell jamás hubiera podido imaginar.

LOS DUEÑOS DE ESTA TIERRA. . .

DOMITILA CHUNGARA

Domitila, ¿qué le parecen los festejos sobre el quinto centenario del descubrimiento de América que hacen algunos Estados latinoamericanos junto con el Estado español?

A mí me parece muy vergonzoso que gobiernos que representan, supuestamente, a la mayoría de nuestros pueblos, tengan que regocijarse porque la conquista española haya masacrado a su pueblo, lo haya asesinado y saqueado sus riquezas. Y todavía, como si no tuviéramos memoria, tengamos que estar junto a ellos festejando. A mí me parece muy vergonzoso.

México objetó en 1984 que se hablara de "descubrimiento" de América en los festejos oficiales del quinto centenario y propuso que se hablara de "encuentro de dos mundos", tal como se aceptó posteriormente, ¿qué opina sobre esto?

Bueno, yo creo que eso también está errado. Pienso que no fue un encuentro de dos mundos, un encuentro podría ser un encuentro amistoso como hay de fútbol o de básquet o de cualquier otro tipo de cosas, pero en realidad lo de nosotros no fue un encuentro sino una invasión descarada que saqueó nuestras riquezas, que esclavizó y que ultrajó a nuestros pueblos, por lo tanto yo no acepto ese término de encuentro.

¿Cuál sería el término correcto para referirse a la llegada de los españoles a nuestro continente?

Eso, la invasión de nuestro territorio, el saqueo de nuestras riquezas, el no respetar nuestra cultura, nuestras costumbres, nuestra religión, o sea que fue lo más horroroso que pudieron hacerle a nuestro pueblo.

Ahora hay, inclusive, posiciones entre organizaciones indigenistas que rechazan el término conquista, quinientos años de la conquista, *¿qué piensa de este planteamiento?*

Bueno, si tomamos en cuenta que la conquista es el triunfo total de los conquistadores, sí estaría de acuerdo con la gente que dice que no fue una conquista total; porque en realidad nuestro pueblo ha estado siempre resistiendo, enfrentándose en la lucha hasta nuestros días y también ha estado haciendo todo lo posible, a pesar de los imposibles, para conservar su lengua, su música, sus costumbres e inclusive su vestimenta; la mayor parte de la población conserva estos valores, diremos así, culturales. Yo estaría de acuerdo en que no fue una conquista total.

Entonces, ¿habría que hablar de quinientos años de la invasión?

De la invasión y del saqueo de nuestras riquezas.

También hay discusión sobre el nombre que debe darse a nuestro continente. Es el caso de algunas instituciones indigenistas, donde se plantea que no debe hablarse de Latinoamérica y proponen otras cosas, como, por ejemplo, que se hable de Indoamérica.

En realidad se ha abierto un debate. Yo he estado presente en estas discusiones y mucha gente no acepta los términos americanista o América Latina. Yo creo que eso está en discusión y está en debate, pero estas personas que plantean esto sí aceptan el término Indio. También sabemos que la historia relata que Cristobal Colón creyó que llegaba a la India y no fue así, por eso nos pusieron el nombre de indios. Después se supo que no fue la India lo que descubrió, que era un nuevo continente, entonces, yo creo que también eso debe ser cuestionado: o aceptamos el término latinoamericano o americano, o aceptamos el término indio o no aceptamos ninguno, ¿no?

Pero el nombre es lo de menos, lo importante para mí es que aquí estamos los pueblos que hemos sido los dueños de este territorio, están los mestizos y también están todavía los criollos, o sea, los hijos de los extranjeros, que siguen aprovechándose de nuestras riquezas. Para nosotros todavía no ha llegado la liberación. Yo pienso que hay que cuestionarse más el nombre de indio que el de latinoamericano. Aceptamos ser indios o no aceptamos.

Hemos visto en este I Encuentro Nacional Boliviano: Emancipación e identidad, *que hay algunas posiciones indigenistas que quieren regresar al Collasuyo y al Tahuantinsuyo, o sea, recuperar y revivir las instituciones y costumbres anteriores a la llegada de los españoles, ¿qué le parece este planteamiento como estrategia de lucha?*

Si estudiamos nuestra historia, aunque dicen que no ha sido escrita por nosotros, añorar de la gente su antigua cultura, sus costumbres, me parece correcto, pero habría que estudiar mucho más la historia de la forma de gobierno, de vida, que hubo en nuestro país. Indudablemente para esos tiempos fue el más avanzado, el mejor organizado, pero el tiempo no ha pasado en vano, habría que ver un poco eso, que de acuerdo a la realidad el pasado no vuelve, que nosotros tenemos que vivir la realidad.

Ahora que vamos a buscar una liberación, si bien es cierto, hay una añoranza de volver al pasado, al Collasuyo, también en el mismo debate ha sido planteado otro tipo de solución para nuestros problemas, por ejemplo, el respeto de las nacionalidades, el reconocimiento de su cultura, de sus costumbres, pero sin olvidarse nunca de la lucha de clases. Hay una teoría que se maneja últimamente que dice que la lucha de clases es una teoría europea, que es un modo de vida europeo, pero si los europeos han venido y han dominado durante quinientos años, han traído también ese modo de vida aquí, o sea que existe esa lucha de clases aquí, e ignorarlo sería no ver nuestra realidad. Entonces, por mucho que nosotros queramos volver al Collasuyo, existe esa lucha de clases que ahora se quiere desconocer.

¿Quién cree que debería conducir ese proceso de emancipación e identidad de América Latina en los próximos cuatro años? ¿Deberían ser los indígenas los que encabezasen la lucha por la liberación, por ser los que más han sufrido, o quién o qué grupo debería conducir ese proceso de emancipación?

Eso casi no se podría decir, hay muchos indígenas que han sufrido tanto, pero cuando obtienen riquezas hay veces que son más explotadores que los mismos extranjeros; pero también hay mucha gente que es tanta la miseria que sufre que a pesar de su origen son demasiado serviles. Para mí, si analizamos la historia de los pueblos en las diferentes etapas de lucha, no es sólo un sector el que conduce esta lucha, sino que tiene que ser la unidad de todo nuestro pueblo y tiene que escoger a sus mejores hijos para que consigan esta liberación. Yo no podría tipificar a la persona o al grupo que podría hacerlo.

¿Cuáles serían las próximas tareas que, dentro de este proyecto de concientización, emancipación e identidad se tendrían que emprender, en términos generales, para América Latina?

Sabemos que en América Latina está el interés de los extranjeros, del Fondo Monetario Internacional, de las transnacionales, del imperialismo norteamericano, está el interés de saquear más las riquezas. Y no sólo eso, incluso de tomar nuestras tierras, por eso, no es casual que muchas colonias extranjeras estén viniendo a nuestro país. Por estos intereses que tienen, ellos mismos están creando grupos para confundir a la gente, para confundir el verdadero objetivo que debe tener la verdadera emancipación o la verdadera liberación de nuestro pueblo.

Yo creo que el camino como organización es continuar con estos tipos de debate, pero identificando también a la gente que sólo viene a confundir con ideas bastante absurdas, debemos identificar eso y tratar de llegar a más medios de comunicación, a más organizaciones populares. Si analizamos este "Primer Encuentro Nacional Boliviano: "Emancipación e Identidad de América Latina: 1492-1992" [La Paz, 28-29 de octubre de 1988] por ejemplo, ha sido más a nivel de la ciudad y, aunque ha habido participación del pueblo, no ha sido masiva, y creo que debemos hacerlo en los pueblos aunque sean pequeños, pero donde puedan participar realmente los que han sufrido esta situación.

¿Cree posible que los Estados Unidos y la C.I.A., estén financiando ciertos proyectos sectaristas frente al quinto centenario?

Claro, son ellos los que han discriminado más, los que discriminan a nuestros pueblos, han sido los primeros racistas, los primeros que han despreciado a nuestra raza, porque después de tanta inmigración que hay en los Estados Unidos, sigue la discriminación al negro y a los chicanos. Con todo esto, de repente aparecen ellos como defensores de las nacionalidades indígenas, de los llamados indios, donde les dan ciertos presupuestos para que ellos hablen lo que quieran, hagan sus propias teorías, dándoles muchas cosas. En realidad, es difícil evadirse de todo este gran interés que hay en nuestro territorio, en nuestras riquezas. No es tan fácil ni tan suelto como que Bolivia solamente hace su revolución y se pone el gobierno que quiere, sino que es todo un armazón. Las luchas son muy difíciles, son muy largas, pero a la larga, si nosotros logramos comprendernos a nivel de todo nuestro Continente sudamericano, yo creo que vamos a poder lograr nuestra liberación.

Esta sociedad capitalista está tan corrompida que está arruinando a la humanidad con sus bombas, con sus cosas tóxicas, está envenenando nuestra sociedad y todo; en todas partes del mundo existe gente que lucha desde su punto de vista, que no está contra el medio ambiente y sí contra la contaminación, contra la discriminación que hay a la mujer, la discriminación racial, inclusive a través de sectas religiosas están peleando.

Bueno, hay toda una serie de luchas que existen y que lo han dividido todo, pero como decíamos, todas estas luchas tienen una sola madre que para mí es como un tronco y este tronco tiene sus raíces que son el sistema capitalista que está impuesto en nuestros mundos. Es contra éste que todos tenemos que unirnos, arrancar de raíz este mal que está destruyendo a toda la humanidad. Por esto, para impedir esto, él está tratando de distraer y, claro, nada sería de extrañar que haya metido su plata ahí para confundir a la gente. Con esto no quiero decir que yo estoy contra la lucha que tienen que impulsar nuestros pueblos valorando nuestra cultura, nuestras costumbres, nuestra lengua, nuestra religión. Todo eso que sentimos, nosotros lo sentimos porque lo llevamos en la sangre, pero tiene que llevar a un entendimiento entre nosotros.

Dice Ernesto Cardenal que la gran tarea del quinto centenario es devolverle a los indígenas sus tierras, etc., pero lo que usted acaba de definir es algo mucho más profundo y mucho más amplio. ¿Cómo definiría la gran tarea que plantea el quinto centenario a los sectores latinoamericanistas?

Abrir esa puerta para un entendimiento, como habíamos dicho, para un diálogo, para una comprensión entre nosotros, para buscar nuestra verdadera liberación; pero que no ha de llegar mientras tengamos así, ideas dispares, sino que debemos tratar de unificar incluso un criterio y unir a todos los latinoamericanos para que ellos sean los dueños de estas tierras, de nuestra cultura, de nuestro destino, de nuestra lengua, de nuestra educación, ¿no? Eso también va a ayudar a otros pobladores, porque no podemos olvidar a los otros pobladores, no podemos olvidar que en España hay gente que también es explotada, masacrada, torturada igual que nosotros los latinoamericanos.

¿Cuáles podrían ser los conceptos principales que orientasen esa discusión y el trabajo de los próximos cinco años, bueno, y después también, serían etnia o clase o nación o cuáles?

Yo pienso que nosotros no debemos olvidar las diferentes nacionalidades que existen en nuestro país, hablando concretamente de Bolivia, también sabemos que en los otros países hay otras nacionalidades, entonces solamente decir que el Quiché y el Ahimara son lo fundamental, no. Ahí tenemos otras más de treinta nacionalidades pequeñas que existen en nuestro territorio. Están también los negros que han sido traídos desde el África y también existen entre esos, entre negros y entre indios, si es que se llaman así, explotadores que explotan a sus propios hermanos, hay ricos que se han enriquecido, o sea, que esa sociedad que nos han traído los europeos está vigente hoy más que nunca en nuestro país. Ignorar que en nuestro país tiene que llevarse también una lucha de clases sería absurdo, tenemos que ser reales. Tiene que haber el respeto a las nacionalidades, a sus costumbres, a su cultura, a su forma de gobierno, todo lo que en sí significa la nacionalidad, pero también tiene que haber la lucha de clases en el seno de las nacionalidades, a nivel incluso del gobierno.

¿Cuál sería esa sociedad futura que se quiere construir donde haya respeto a las nacionalidades?

Una sociedad donde no exista la explotación del hombre por el hombre; donde no exista la discriminación a la mujer y donde se respete la forma de vida de los pueblos.

Y, ¿hay un nombre para esa sociedad futura?

Bueno, no sé, yo creo que el pueblo se va a dar su nombre.

En su opinión, ¿por qué no se ha logrado la integración latinoamericana de la cual tanto se habla?

Por los diferentes intereses que existen en nuestro país, principalmente los intereses del Fondo Monetario Internacional, de la deuda externa y los intereses que tiene aquí la C.I.A., establecida a través de las sectas religiosas, de todo lo que han hecho y han planificado conscientemente para dividir a nuestro pueblo. También la educación y los medios de comunicación que siempre están confundiendo más y más a la gente para que no vea la realidad, simplemente la están divirtiendo, implantando otros valores, otras cosas. De todas maneras van tratando de desorientar y de confundir al pueblo.

Y, si usted piensa que es necesario llevar este Foro y Concurso a las organizaciones populares, ¿cómo se puede hacer esto?, ¿en qué instituciones habría que basarse?

Tal vez yendo por lo poco, es muy difícil pero creo que sería lo ideal. Tal vez basarse en las instituciones nacionales pero que representen realmente al pueblo; ustedes saben que hay instituciones de gobierno que controlan, que no permiten hablar de organización, por ejemplo, en este caso me refiero a organizaciones de mujeres que controla el gobierno y sus organizaciones, donde tienen a las mujeres solamente para domesticarlas más, y no permiten el ingreso, digamos, de charlas económicas, charlas políticas, charlas sindicales, eso está prohibido.

Por eso digo que hay que buscar los mecanismos propios del pueblo que podrían ser, por ejemplo, los sindicatos, las federaciones, las confederaciones, la central obrera, con quienes nos pudieran dar los mecanismos, llegar a la confederación de campesinos, por ejemplo. Todo tiene sus propias organizaciones, inclusive algunas juntas vecinales, juntas de madres, comités de amas de casa. Hay tantas organizaciones aquí en Bolivia, la federación de mujeres campesinas Bartolina Asisa, por ejemplo, que nos puede abrir ampliamente las puertas hacia el campo.

Pero, a la gente del campo, ¿le interesaría hablar de emancipación e identidad?

Claro, ¿cómo que no? Si eso hace tiempo que ellas están sintiéndolo en carne propia: la marginación, la discriminación. La mujer campesina, cuando viene a la ciudad sufre todo tipo de discriminación. . .

EL V CENTENARIO*

FIDEL CASTRO

Comandante: En nuestros países existe un problema histórico con las nacionalidades indígenas. España está promoviendo la celebración de los 500 años del "descubrimiento", en cambio en América Latina hay una tendencia que contrarresta esa celebración, ¿cuál es su criterio?

Ustedes deben haber conocido algunos pronunciamientos míos sobre esta fecha. Algunos problemas me he buscado con los españoles por los criterios que he emitido sobre eso. Un día alguien me hizo una pregunta y yo dije que era una fecha infausta y nefasta. Reaccioné con todo el espíritu de rebelión no sólo frente a la injusticia de épocas pasadas y actuales. Recordaba que el descubrimiento estuvo asociado a la conquista, al dominio, al exterminio de millones de hombres y mujeres que vivieron en este hemisferio, a la esclavitud que dio lugar también al comercio de hombres, la esclavitud de millones de africanos que eran a veces cazados como animales en la selva, para cogerlos vivos.

Tuve en cuenta la época actual y lo que vino después: el colonialismo, el neocolonialismo, el imperialismo. De lo más profundo de mi alma surgía el rechazo. Creo que fue en una reunión relacionada con la deuda externa o algo de eso y yo dije que soy indio, que me siento indio. Bueno, en Europa y en España armaron no se sabe qué escándalo cuando yo dije eso: "¡qué descarado! un hijo de gallego dice que es indio". Y a mí me salió del alma. Es que me sentía latinoamericano. Lo que yo quise decir no fue que yo sea genéticamente indio sino que mi alma era india. ¡Qué enorme escándalo fue eso!

* Entrevista realizada por el colectivo de la revista *Punto de Vista*. Quito, Ecuador, agosto de 1988.

No voy a usar la ética moderna o los principios actuales para juzgar a Colón, ni voy a discutir los méritos de Colón, que era una especie de Quijote, de visionario. Todo lo que hizo estuvo muy de acuerdo con las leyes de la época y las normas. Tiene un gran mérito como hombre navegante y científico. Esto no se le puede negar. En todo caso, soñaba con imperios, virreinatos y reinos y no sé cuantas cosas, que eran las que soñaba la gente en aquella época feudal.

A veces he dicho también que todo es cuestión de suerte. ¿Cuál fue la suerte de Colón? Que había un continente en el medio, porque él quería descubrir las Indias, pero descubrió otra cosa que estaba en el medio.

Yo me he leído los libros de Marco Polo completicos. Tiene mucha fantasía la historia de Marco Polo: de montañas que se mueven y cosas de esas, pero están llenos de acontecimientos y circunstancias históricas verídicas y comprobadas, entre ellos, el gran imperio Mongol que había. Y él habla de muchas cosas históricas como los ejércitos de caballería. Ejércitos de cientos de miles de hombres. Y yo siempre me he preguntado lo siguiente: si no llega a existir un continente de por medio y Colón efectivamente llega a China y desembarca, no habría podido tomar posesión del territorio en nombre del Rey de España, porque le habrían salido miles y cientos de miles de ejércitos de caballería (y dicen que aquellos eran unos jinetes fabulosos). Y resulta que los españoles conquistaron este continente usando una tecnología más moderna: el arcabuz, la ballesta y el caballo. Se dice, incluso, en la propia Cuba porque esto empezó por el Caribe, que algunos indios veían a un jinete a caballo y les parecía un monstruo: si mataban al caballo se apeaba el jinete y si mataban al jinete el caballo seguía. Y con unos cuantos caballos sembraron el terror. ¿Qué era un caballo en aquella época? ¡una bomba atómica! ¿qué era un arcabuz?, ¿la pólvora?: ¡la bomba atómica! Pero los que inventaron la pólvora fueron los chinos.

Ustedes se imaginan si por casualidad no hay un hemisferio en el medio y Colón llega allí, ¿creen ustedes que habría conquistado aquel imperio? Monta a todos los españoles a caballo y los españoles son valientes. Aquella gente había estado luchando por su independencia contra los árabes durante siglos. Eran guerreros y creo que también guerreristas. Todos los españoles a caballo no habrían podido conquistar aquel imperio. Entonces, hasta el azar ha influido en todas estas cosas.

Encuentran un continente con poblaciones, en ciertos aspectos con técnicas más atrasadas, algunos también culturalmente atrasados, pero había otras extraordinariamente avanzadas: en México, Centroamérica, en Sudamérica, en Ecuador y Perú, en territorios que actualmente comprenden esos países. Hay cosas fabulosas que ni siquiera los científicos han podido explicarse cómo las hicieron las civilizaciones que estaban aquí adelante. Sólo que no tenían arcabuces, ni espadas de acero, ni corazas. Hoy en la casa de Guayasamín estuve casi veinte minutos viendo una coraza. Es una de aquellas que usaba la infantería. Dan ganas de reír cuando uno la ve. Aquella era tecnología avanzada de la guerra. Yo estuve hasta tocando la escafandra completa, para ver qué grosor tenía, qué fuerza, y digo: ¡cuánto pesa esto! Y ¡cuánto caminaba un hombre con ésto encima!

Ha de haber sido difícil moverse.

¡Pobre caballo! porque además montaba a caballo. Vinieron con esas cosas y conquistaron. ¡Guayasamín habla sobre eso con una fuerza. . .! Él dio no me acuerdo qué cifra, sí, setenta millones. Creo que me dijo que setenta millones de seres humanos de estas tierras perecieron como resultado de la conquista, ¡es impresionante!

Aquél es el rechazo que yo sentía a la efemérides. Pero me busco problemas hasta con gente que no entiende bien. Porque admiran a Colón. Y yo digo que no se puede admirar independientemente de las cosas que pasaron después de su aventura geográfica y marina. Y no se trata de que yo quiera negar los méritos científicos y geográficos. Lo que yo realmente les he planteado a los españoles es que debe haber una conmemoración crítica de la conquista, de la explotación y de la esclavitud, de la conquista de nuestras poblaciones aborígenes y de la esclavitud. Nosotros no podemos ponernos a hacer una apología de la conquista, del colonialismo, de la esclavitud. Entonces, yo ponía un ejemplo: nosotros tenemos unos vecinos poderosos que también quieren descubrirnos otra vez, los vecinos del norte, los imperialistas yanquis, que quieren descubrirnos y conquistarnos otra vez. Y yo a veces he pensado meditando sobre este tema: imagínense que vengan hordas yanquis a conquistarnos, que violen a las mujeres, y que los descendientes nuestros, luego de quinientos años, estén celebrando la conquista de América Latina. Yo digo, hay gente que quiere, otra vez, descubrirnos y conquistarnos. Estas son las contradicciones y las meditaciones que yo he hecho en torno a todo esto. No obstante, en Cuba también hay un comité que se llama del "Encuentro de Dos Culturas", un nombre piadoso para. . . (sonríe). Yo pienso que hay que hacer un recuento crítico y una conmemoración crítica.

Ahora que vengo aquí y tengo estos sentimientos que me han costado un dolor de cabeza, no quiero negar todo lo que pudo haber sido ese período. De ese crisol surgieron cosas buenas. Tuvimos en el Caribe una mezcla de africanos, españoles, indios. En Centroamérica, de indios y españoles, en Suramérica. . . Y yo creo que este híbrido que no es malo tiene tremendas cualidades. Los imperialistas lo van a descubrir y lo empiezan a descubrir. Porque ellos nos despreciaban, decían: "esta mezcla de indios, de negros y de españoles. . ." Nos despreciaban y no saben qué clase de gente somos, pero están empezando a aprender. Comenzaron por Cuba, por Nicaragua, por El Salvador y por todas partes lo van aprendiendo, por la clase de héroes de esta estirpe latinoamericana, no sólo en las guerras de Bolívar y de Sucre que son páginas de heroísmo indescriptible. En la época moderna, pequeños países enfrentados allí en Centroamérica, no sólo Nicaragua y El Salvador, sino también Panamá, además de Cuba; pero no quiero hablar de Cuba porque de Cuba ya casi ellos mismos se han olvidado.

Han perdido la esperanza de que se pueda destruir la Revolución Cubana, al menos por la fuerza de las armas. Tratan y sueñan todavía con la penetración ideológica y política, con los atractivos de su sociedad de consumo para corrompernos, debilitarnos ideológicamente. Ya no piensan en ganar la batalla por la vía de las armas, porque saben prácticamente que no pueden meterse en un avispero, meterse en un infierno donde tendrían miles de muertos. Y no hay nada que influya tanto como los cadáveres regresando en féretros, rodeados con la bandera del imperio. Y ellos saben que a nosotros no nos pueden conquistar ni destruir, y empiezan a descubrir qué clase de pueblos somos. Y nosotros no lo podemos negar. No tenemos la culpa de lo que somos ¿comprende? Y lo que somos tiene calidad, una gran calidad. Por eso digo que no voy a negarlo todo. No puedo negar cosas positivas, si hasta tenemos un idioma. Si estamos aquí hablando en español es una de las consecuencias del proceso histórico y nos conviene tener un idioma. Algo nos dejaron. Se llevaron mucho oro, mucha plata, destruyeron los tesoros culturales —como dice Guayasamín— . . .no se sabe lo que valían: obras de arte, que fueron fundidas por amor al vil metal.

Cuando uno admira una obra de la historia de nuestro continente, valores arqueológicos, artísticos, fabulosos, y se pone a pensar cuánto habrán destruido. Pero no sólo ellos nos saquearon. Después los imperialistas también: se llevaron para sus museos muchas piezas de gran valor.

Y lo siguen haciendo

Sí, lo siguen haciendo, se lo llevan.

LATINOAMÉRICA FRENTE AL V CENTENARIO

OSWALDO GUAYASAMÍN

Don Oswaldo, en su opinión ¿cuál debería ser la posición de los intelectuales latinoamericanos al quinto centenario?

Yo creo que hablar de festejos es una verdadera equivocación, ¿cómo podemos festejar nosotros un acontecimiento que fue, en su momento histórico, tan terrible y dañino para todas nuestras grandes culturas precolombinas? La humillación, la matanza de millones de indios dueños de este continente, pone de manifiesto eso.

Pero no solamente eso, es muy triste y amargo que lo más maravilloso de nuestras culturas fuese destruido: nuestras piezas trabajadas en oro, en plata, verdaderas maravillas, fueron fundidas y llevadas. Lo que existe ahora en el Banco de Bogotá, en las colecciones particulares de Lima y lo que tiene la Fundación Guayasamín —una hermosísima colección de piezas de oro— es lo que después de la ida de ellos se encontró debajo de la tierra, todo lo que estaba encima se lo llevaron.

Hay gente que habla del "encuentro de dos mundos". . .

Sí, todas esas son fraseologías para justificar estos acontecimientos desastrosos para el continente.

¿Cuál sería el término correcto para denominarlo?

No he pensado en eso pero, claro, la cuestión está en que ahora América, felizmente, está reaccionando poderosamente, tengo noticias de México, de Centroamérica, de Argentina, de Bolivia, del Perú, de personas que están trabajando intensamente para no festejar este acontecimiento.

Una posición así, crítica, emancipadora, ¿no va a causar problemas con los festejos oficiales encabezados por España?

Puede causar dificultades, por ejemplo, aquí en el Ecuador, hace algunos años realicé una inmensa escultura de Rumiñahui, una escultura hecha en bronce repujado a mano, tiene ocho metros de alto y estamos construyendo las columnas que irán atrás de esta figura, columnas de casi veinte metros cubiertas de bronce y un sol móvil. Rumiñahui es de los mayores héroes de la época precolombina, que defiende la tierra, defiende la tierra de América, en ese momento hizo una resistencia increíble desde Cajamarca hasta Quito, así que para América Latina Rumiñahui es uno de los personajes más importantes, por eso estamos tratando de inaugurar este monumento para el noventa y dos. La idea del Ministerio de Educación y Cultura es invitar a grupos de todo el Continente, de cada país: grupos de danzantes, de música. Pero no para festejar sino para protestar, para integrar a América, para ser otra vez el recuerdo de lo que era América antes de la llegada de los españoles.

¿Cree usted que todavía hay alguna posibilidad de que se integre América en esa gran visión de Bolívar. América la Patria Grande, o piensa que ese tiempo ha pasado definitivamente?

Yo creo que hay un acontecimiento más importante que lo de Bolívar, que es lo que era el Tahuantinsuyo, lo que era este imperio inmenso, que cubría casi toda América del Sur, después surge la idea de Bolívar, de los cinco países del sur del continente, pero estos antecedentes creo que son vitales, sobre todo la idea del Tahuantinsuyo que puede ser revivido como forma de integración latinoamericana.

Usted, en sus pinturas, casi siempre expresa cierto espectro trágico, dramático, triste, de América Latina ¿es éste el rostro de nuestra identidad?

Bueno, en realidad, lo que yo pinto no está solamente ligado a América Latina. En "La Edad de la ira", que son alrededor de doscientos cincuenta cuadros, está expresada toda la tragedia de este siglo: los campos de concentración, la segunda guerra mundial, la guerra civil española, las bombas atómicas. . . Pero también están acontecimientos de América Latina: las dictaduras del Cono Sur, de Argentina, de Chile todavía subsistente, del Uruguay. . . todo eso es parte de "La Edad de la ira" y estoy, indudablemente, muy preocupado por expresar estas cosas como un rechazo a toda la violencia que han creado en este mundo fuerzas incalculables de dinero.

Si usted tratara de definir con palabras lo que es la identidad latinoamericana, ¿cómo lo haría?

La idea, para mí básica, es empezar lentamente a borrar las fronteras, yo sé que es una cosa bastante difícil pero, por lo menos, mimetizar las fronteras, ese es el primer paso que debemos dar para la integración de América Latina.

Todos sabemos el recorte que se hizo en la independencia sobre América: se partió este Continente en retazos como si fueran cosas de la hacienda propia de los independentistas de ese tiempo. La frontera del Ecuador con El Perú, con Colombia, la frontera de Colombia con Bolivia, todo esto está mal hecho, somos una misma identidad cultural pero estamos cortados.

Seguimos entonces el ejemplo de Europa, donde verdaderamente la frontera era necesaria, digamos entre España y Francia, entre Francia y Alemania, pueblos todos con diferentes lenguajes, con diferente concepción del mundo. Sin embargo, ellos prácticamente han borrado ya sus fronteras.

Nosotros, que desde el Río Bravo hasta la Patagonia tenemos una unidad cultural de ocho mil años, estamos divididos. Hablamos en el mismo lenguaje, tenemos una misma religión de arriba a abajo, nuestras aspiraciones como continente, nuestra miseria. . . toda esta identidad está cortada. Así que, para mí, el primer paso es el de tratar de mimetizar la frontera y ojalá algún día pueda desaparecer.

¿Piensa usted que realmente existe una hermandad entre los pueblos latinoamericanos?

Al existir la frontera, nos enseñan desde niños a odiar al del otro lado, pero esa es una nueva enseñanza superficial, en vez de enseñarnos a amar a nuestros vecinos. Casi en todo el continente es lo mismo, colombianos y venezolanos, ecuatorianos y peruanos, peruanos y chilenos, en fin, todos tienen siempre alguna cosa provocada artificialmente y en eso, los ejércitos de América Latina tienen mucha culpa de esta des-unión de América.

¿Cuáles son los sectores que, para usted, incorporan mejor esa búsqueda de la identidad, que son vanguardia para construir esa identidad?

Yo creo que en Perú hay muy buenas disposiciones y en Bolivia y en Ecuador, en todo el continente, porque la unidad que surge entre Brasil, Uruguay y Argentina, ya es un ejemplo maravilloso de cooperación, de tipo comercial por el momento; ojalá que se vuelva esto una cosa de tipo espiritual.

La unidad de esta parte, Ecuador, Perú, Bolivia, Colombia y Venezuela no funciona, porque hay intereses creados desde el imperio que impiden que esta unidad se vaya desarrollando. Pero ya se empieza a creer y a pensar que la unidad de América Latina es absolutamente indispensable.

¿Cuál es la función del arte en la creación o búsqueda de la identidad latinoamericana?

Pues preocuparnos de nuestros propios problemas; esto se inicia desde principios de siglo, con el advenimiento de los grandes pintores mexicanos como Orozco, Rivera, Siqueiros, que son los primeros que empiezan a moverse, a conmoverse con las realidades latinoamericanas.

Yo creo que, aunque los estilos de ellos son muy primarios en su manifestación plástica, ya es una cosa de tipo continental con diferentes expresiones propias de nuestro continente; hay una cantidad de creadores de arte, pero no solamente en la pintura, también en la música, por ejemplo Villalobos en Brasil, todas sus grandes composiciones están profundamente ligadas a su pueblo, y lo mismo pasa con Finaster en la Argentina y los mexicanos que están haciendo música, literatura y arquitectura.

De la literatura. . . ni hablar, porque los grandes literatos de nuestro continente están siendo leídos y traducidos prácticamente a todas las lenguas de la Tierra. Estos escritores son ya de América Latina, de una conciencia latinoamericana, como el caso de Eduardo Galeano puedo dar cien nombres con Nerudas y con toda la gente maravillosa de poetas y literatos de este continente.

¿Se necesitaría una revolución social para crear una identidad latinoamericana nueva?

No creo, hay países como Cuba y Nicaragua que están luchando por esa integridad a través de una revolución, pero no todos los países están listos para eso; cada país tiene su propia forma de resolver sus asuntos de tipo político-económico, solamente que el frente económico debiera ser absolutamente latinoamericano, totalmente latinoamericano para enfrentar al monstruo del imperio que tenemos al norte.

¿Piensa usted que la conquista ha terminado?

Prácticamente, pero los resabios de la conquista en este momento son patentes. Usted sabe que el peor insulto que se hace a una persona es llamarlo "indio de mierda", es decir, el mestizo todavía sigue en ese mismo plan de odiar al hombre indio que, como decía antes, es el verdadero dueño y propietario de este continente.

¿Y por qué odian tanto al indio?

Seguramente por vergüenza de tener sangre india.

¿La mala conciencia?

Claro, tienen rezagos de conquistadores todavía, los grandes apellidos de las gentes en este continente, ¿no?

¿Piensa usted que los españoles están dispuestos a ayudar en una tarea libertadora de América?

Yo creo que sí, porque estamos hablando de cosas que pasaron hace quinientos años, esta hecatombe. Pero en los pueblos han surgido gentes tremendamente inteligentes, como Felipe González, que no creo que tenga ni siquiera la remota idea de seguir en un plan de conquista todavía. Al contrario, yo creo que se puede aprovechar a estos gobiernos de España, de Francia, de Italia, para renovar nuestro contenido cultural de milenios.

¿Aceptando ellos la autonomía de los pueblos de América Latina?

Claro, el respeto mutuo, nosotros a ellos y ellos a nosotros.

¿Cuáles son sus planes a futuro respecto al V Centenario?

La Fundación Guayasamín tiene un terreno de unos mil metros donde existirá —estamos terminando los planos— una obra que se llamará "La Capilla del Hombre". Es un edificio muy importante, de 25 metros por cada lado, con tres niveles y una bóveda. Estamos haciendo los últimos cálculos de la estructura de hierro y esas cosas, para comenzar la construcción el próximo año. En el tercer piso de este enorme edificio, en una pared, va lo que era América Latina antes de la llegada de los españoles, en otra va toda la tragedia de la conquista, la tercera contendrá toda la tragedia de la Independencia. Finalmente, en la última pared estarán los retratos de los defensores de América.

En la bóveda pintaré una experiencia de hace dos años, cuando hice un viaje de trece kilómetros por toda la montaña desde Quito a Potosí, ese cerro maldito de la plata; ahí me entré cerca de dos kilómetros en el interior del cerro para examinar el horror de la oscuridad total; adentro encontramos murales realizados hace 300 ó 400 años, murales de demonios, una cosa brutal. Esta experiencia va a estar en la bóveda, voy a pintar a muchas gentes que quieren salir por un huequito de luz arriba. Del piso hacia adentro se hará una forma de plato pre-colombino donde estará representada la muerte de Tupac Amarú. Eso será "La Capilla del Hombre". Ya tengo bocetos casi de todo y empezaremos la construcción, pues quiero inaugurarlo en 1992. Es mi punto de vista, mi meta contra los festejos.

ÍNDICE

IMPRESO Y HECHO EN MÉXICO
PRINTED AND MADE IN MEXICO
IMPRESO EN LOS TALLERES DE
IMPRESORA GARAY
GRAL. FRANCISCO MUNGUÍA, No. 141
ATZCAPOTZALCO
MÉXICO, D. F.

EDICIÓN DE 5000 EJEMPLARES
OCTUBRE DE 1989